Stof zijt gij

Bezoek onze internetsite www.karakteruitgevers.nl
voor informatie over al onze boeken en softwareproducten.

Dr. Floris Wouterlood

Stof zijt gij

Karakter Uitgevers B.V.

© 2003 Floris Wouterlood
© 2003 Karakter Uitgevers B.V.
Omslag: Jan Weyman
Omslagillustratie: Harmen van Steenwijck (1612-1655)

ISBN 90 6112 961 3
NUR 320

Inhoudsopgave

Moderne lijkkist met versiering. Made in USA.
Zie 3.2 Lijkkist

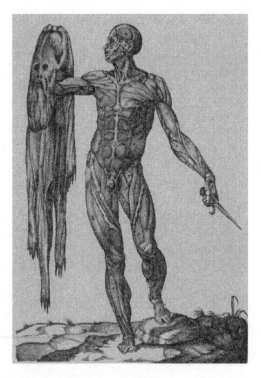

Plaat getekend door Juan Amusco de Valverde in zijn
Anatomia del copro humano.
Zie 4.13 Plastineren

Inleiding

Elk mens, u en ik dus, heeft maar een paar zekerheden in zijn of haar leven. Eén ervan is dat we ooit zullen overlijden, doodgaan dus, einde aards bestaan. Geen leuke zekerheid voor de overgrote meerderheid van de mensheid. 'Doodgaan', 'dood-zijn' en 'na de dood?' hebben een akelige klank voor de meesten van ons en dat maakt dat we niet graag aan de situaties worden herinnerd waar die klanken voor staan. We piekeren er vaak over, we winden ons op en willen iets van onzelf aan het nageslacht nalaten, of het laat ons volkomen koud.

Er overlijden dagelijks mensen in onze omgeving. Op straat hoort u een doffe kerkklok rouw verkondigen, er passeert een begrafenisstoet, u ziet en hoort op de televisie dat er mensen zijn overleden, en zeker als het een beroemdheid betreft geeft dat de nodige opschudding. In elke krant staat iedere dag minstens een halve pagina rouwadvertenties. Aan het eind van elk jaar presenteren kranten, tijdschriften en televisiestations in hun jaaroverzicht een opsomming van bekende landgenoten die het afgelopen jaar zijn overleden. In onze eigen privé-omgeving overlijdt zo nu en dan een familielid, vriend, collega of bekende, en dit veroorzaakt pijn, verdriet en een gevoel van dofheid en gemis. Als u de rouwadvertentie in de krant napluist stelt u op een kwade dag tot uw schrik vast dat de geboortedatums van hen die zijn heengegaan steeds dichter bij die van uzelf beginnen te komen en dat er zelfs personen zijn overleden die jonger waren dan uzelf. Op zo'n moment kan de zekerheid van overlijden en dood zo verpletterend dichtbij komen dat menigeen, ikzelf inbegrepen, het idee 'doodgaan en wat erna' maar meteen wegdrukt, de schouders ophaalt en een beetje geforceerd overgaat op de handelingen van alledag. Hoewel er al lang geen echte taboesfeer meer hangt rondom overlijden en dood, dringen wij gedachten over dit onderwerp liefst ver weg, veilig en discreet naar een schimmige achtergrond. We kunnen ons de toestand waarin we zullen verkeren als we dood-zijn gewoon niet voorstellen. Dood-zijn is een mysterie, dood-zijn is absurd. Dood-zijn mag eigenlijk niet.

Wanneer precies is iemand dood? Dood-zijn is hetzelfde als opgehouden zijn met leven. Je kan niet doodgaan als je niet eerst hebt geleefd. U kunt zich dus net zo goed afvragen wat de essentie van leven is, en wanneer leven begint en wanneer het ophoudt. Bij mensen steekt het een en ander ingewikkelder in elkaar dan bij dieren omdat wij bewustzijn bezitten. Iedereen vraagt zichzelf wel eens af waarom wij onszelf en onze omgeving zo bewust zijn, hoe dat bewustzijn in elkaar steekt en wat er met ons bewustzijn, ons ik, onze geest, gebeurt als wij doodgaan. Verschillende religies geven hele duidelijke antwoorden waaraan u zich kunt vastklampen. Ik kan u als wetenschapper alleen maar teleurstellen op het punt van wat er met onze geest gebeurt zodra het leven uit ons lichaam wegvloeit. Kan ik als eenvoudig anatoom op dit punt iets zinvols toevoegen aan datgene waarop generaties religieuze denkers geprobeerd hebben eenvoudige en sluitende antwoorden te geven? Ik denk van niet. Vanuit een wetenschappelijk oogpunt zal ik in dit boek een aantal processen beschrijven die plaatsvinden lang voor, tijdens en na het doodgaan: medische, scheikundige en natuurkundige processen. Na afloop van het gestopte leven blijft een stoffelijk overschot over. Onder bepaalde voorwaarden kunnen organen uit het lichaam worden genomen voor transplantatie. Het stoffelijk overschot kan kort of lang op de wereld blijven, maar tot stof vergaat het. Onherroepelijk. We kunnen de processen die zich na het overlijden in het lichaam afspelen remmen, maar het lichaam van een dode in volle glorie voor altijd en eeuwig bewaren is niet mogelijk, alle pogingen ten spijt.

Volgens de Wet op de Lijkbezorging zijn er drie eindbestemmingen voor een stoffelijk overschot: begraving, verbranding of ontleding in het belang van de wetenschap. Over deze drie eindbestemmingen vindt u in dit boek nadere informatie, en over van alles er omheen.

Leiden, 1 februari 2003

Hoofdstuk 1

Over leven en dood – of net niet

1.1 Een catastrofale gebeurtenis

In menig romantisch stervenstafereeltje ligt de stervende thuis in een bed in een ruime en goed verlichte kamer, omringd door een schare geliefden. Hij of zij neemt afscheid van de naaste verwanten, spreekt op heldere toon een aantal diepzinnige woorden, slaat de ogen ten hemel, vouwt de handen op de borst, sluit hierna de oogleden en blaast de laatste adem uit. De verwanten zijn diep onder de indruk, barsten in snikken uit en verbergen hun gezicht in hun handen of in een sierlijk zakdoekje. Het zou een script kunnen zijn voor een meeslepende Hollywood-film.

In werkelijkheid gaat het er meestal iets anders aan toe. Om te beginnen overlijden mensen in onze westerse wereld dikwijls helemaal niet in hun eigen bed maar in een ziekenhuis, verpleeghuis of in een hospitium, een speciaal tehuis voor terminale patiënten. Meestal overlijdt men na een kortere of langere ziekte die allerlei soorten pijn, ongemak of slopende narigheid met zich mee heeft gebracht. Door de vergrijzing worden de mensen gemiddeld steeds ouder en sterven er steeds vaker personen na een lange weg van voortschrijdende geestelijke aftakeling. In een heleboel gevallen is de stervende omringd door een gigantische hoeveelheid medische apparatuur, met ergens weggestopt achter de slangetjes en electroden de meest directe verwanten of relatie. Een minderheid slechts sterft tegenwoordig nog in het eigen bed.

Het sterven van iemand die behoort tot onze familie- of kennissenkring, en ook het overlijden van een bekend of beroemd persoon ervaren we als een catastrofale gebeurtenis, een regelrechte ramp. Nu is het zo dat veel rampen op deze wereld inderdaad volkomen onverwacht plaatsvinden: aardbevingen, neerstortende vliegtuigen, explosies, branden, ernstige verkeersongelukken. Er zijn ook rampen die men kan zien aankomen als men maar goed oplet en een klein beetje vooruitkijkt, zoals een zware storm, een tsunami, oorlog, of hongersnood. Zo is het ook met de dood. Hij kan plotseling komen in allerlei vormen zoals het getroffen worden door de bliksem, een zware hartaanval of hersenbloeding, een ontzettende klap bij een verkeersongeluk, of een messteek in de hartstreek in een donkere steeg. Aan de andere kant kan hij ook geniepig komen aansluipen en ondanks alle medische hulp niet te stuiten zijn zoals bij ouderdomsziekten, vormen van kanker en aids. Al deze doodsoorzaken, hoe verschillend ook, hebben één ding gemeen: men verliest het leven in een bepaald tempo, variërend van letterlijk bliksemsnel tot tergend langzaam. In de natuurkunde noemt men dit tempo de tijdsconstante van het proces. We dragen allemaal een tijdsconstante met ons mee, maar we weten alleen niet of ze piepklein of heel groot is. In feite is het zo, en dit is door heel veel schrijvers naar voren gebracht, dat ons hele leven een voortdurende voorbereiding is op het sterven dat we allemaal uiteindelijk doen en waar geen ontkomen aan is. Leven is, op deze wijze beschouwd, sterven met een hele lange tijdsconstante. Met een andere optiek kijken kan ook, namelijk door een microscoop naar het kleine: gedurende ons hele leven worden we op microschaal voortdurend geboren en vernieuwd, maar sterven we tegelijkertijd ook voortdurend. De cellen in ons lichaam delen onophoudelijk en vormen nieuwe cellen. Oude cellen sterven af. Dit gaat gedurende ons hele leven door. Niet alle weefsels doen mee met die voortdurende vernieuwingsdrang. Het meest actieve celdelende weefsel is het bloed (nieuwe rode bloedlichaampjes worden voortdurend gevormd in het rode beenmerg, zijn ongeveer 120 dagen actief en worden daarna afgebroken in de lever). Niet alleen ons bloed wordt voortdurend vernieuwd. Zo worden ook voortdurend cellen in de slijmvliezen van het spijsverteringskanaal vervangen, en de huid behoort ook tot de zeer actieve weefsels die in rap tempo nieuwe cellen bijmaken en oud en dood materiaal van zich af schudden. Gedurende uw leven verliest u maar liefst achttien kilo aan huidschilfers! Als u kinderen hebt verwerkt of gaat verwekken zijn er onder de tientallen eicellen of de miljarden spermacellen van uw voortplantingsorganen zelfs een of meer gelukkige celletjes die de oorspronkelijke eigenaar zullen overleven. Misschien is het de natuur er uiteindelijk om te doen dat koste wat kost het leven in het algemeen in stand blijft. Hoe het ook zij: alle dieren en ook wij, mensen, worden allemaal zonder uitzondering en zonder pardon als individu opgeofferd om het voortbestaan van de soort te kunnen garanderen. De afzonderlijke mens is uit het oogpunt van de natuur het ultieme wegwerpartikel. Pas als de soort uitsterft, zoals is gebeurd met de dinosauriërs en duizenden andere, minder spectaculaire diersoorten, is het afgelopen en uit en rest er niets dan stof. We hebben het geluk dat de natuur de mensheid, zeker in vergelijking met de meeste diersoorten, heeft toebedeeld met een gemiddeld vrij grote tijdsconstante. De meesten van ons halen de pensioengerechtigde leeftijd en dat kan van de meeste diersoorten om ons heen niet gezegd worden.

De essentie van de catastrofale of de langzame overgang van leven naar dood is dat er iets mysterieus verdwijnt wat zo kenmerkend is en waarvan we niet begrijpen dat het weg is en wat alleen de wegwerpschil van het stoffelijk overschot overlaat: leven.

1.2 Leven

Volgens het biologieboek is 'leven' het complex van eigenschappen en functies van een organisme dat er voor zorgt dat dat organisme blijft voortbestaan. Zoals uit de definitie blijkt is leven dus niet één enkele daad, zoals bijvoorbeeld gedachteloos een stekker in het stopcontact steken om een apparaat in werking te stellen, maar daarentegen juist een samenhangend geheel van talloze eigenschappen en processen. Dit maakt het begrip van de toestand die we leven noemen ook zo moeilijk, temeer omdat door de individuele mens deze eigenschappen en processen in allerlei vormen van heftigheid worden beleefd.

Overigens is het voor een medicus soms vreselijk moeilijk om vast te stellen of iemand écht is overleden; hier komen we verder in dit hoofdstuk nog op terug. In het biologieboek van de middelbare school wordt uitgebreid behandeld wat de wetenschap verstaat onder levende natuur en onder dode stof. Levende organismen zijn opgebouwd uit voornamelijk koolstofverbindingen. Deze bezitten (deoxy- of ribo-) nucleïnezuur, hebben een stofwisseling en vertonen groei, zijn prikkelbaar en planten zich voort. Een kopie van het nucleïnezuur wordt aan het nakomelingschap doorgegeven. Dode stof mist een aantal of het geheel van deze eigenschappen. Dit betekent niet dat u en ik plotseling dood-zijn als we niet meer willen groeien of als we ons helemaal niet, of niet meer voortplanten. Heel belangrijke eigenschappen die bepalen of iets levend is of dood, zijn stofwisseling en ontvankelijkheid voor prikkels. Heel erg kort door de bocht kan men stellen dat een levend organisme waarvan de stofwisseling stopt en de prikkelbaarheid verdwijnt enkele van de meest essentiële eigenschappen van leven verliest en hiermee verder als dood moet worden beschouwd. Hierop is overigens nog wel wat af te dingen zoals u verderop kunt lezen.

1.3 Doodsoorzaken

Volgens het Centraal Bureau voor de Statistiek (www.cbs.nl) overleden in Nederland in het meest recente jaar waarvan gegevens bekend zijn (1999) ruim 140.000 mensen. Doodsoorzaken verschillen tussen mannen en vrouwen en hetzelfde is het geval met de levensverwachting (mannen ruim 75 jaar, vrouwen ruim 80 jaar).

Top-drie doodsoorzaken:
1. Hart- en vaatziekten: plm. 50.000 mensen (1 op 10 aan een acute hartaanval)
2. Kanker: plm. 38.000 mensen (30% hiervan waren mannen die stierven aan longkanker)
3. Ziekten van de ademhalingsorganen: plm. 14.000 mensen (50% hiervan aan longontsteking)

In de achterhoede:
Tengevolge van een val: plm. 1700 (meest ouderen)
Verkeersdoden: 1183
Zelfdoding: plm. 1500
Aids: 137

Ongeveer 5000 mensen overleden in 1999 door wat men een niet-natuurlijke oorzaak noemt. Moord en doodslag vormen hierbij overigens een minderheid van oorzaken (ongeveer 200) terwijl zelfdoding (plm. 1500) en vooral verkeersongevallen (1183) en ongevallen in de huiselijke omgeving (plm. 2000) het grootste gedeelte uitmaakten.

Men kan dus aan de hand van de statistieken stellen dat de meerderheid van de mensen die in ons land overlijden dit doet ten gevolge van ouderdom of een kortere of langere ziekte.

1.4 De lange, trage aanloop naar de dood: ouder worden

Een essentiële eigenschap van leven is stofwisseling. Elke cel van ons lichaam, met enkele uitzonderingen zoals de rode bloedlichaampjes, bezit een aantal kleine, efficiënte energiefabriekjes, de mitochondriën. In het inwendige van de cel (het cytoplasma) vindt de afbraak plaats van de uit het voedsel verkregen suikers, vetzuren en aminozuren (vergisting of *anaerobe* verbranding) tot kooldioxide en waterstof. Het kooldioxide verlaat de cel en de waterstof wordt door een emmertjesbrigade van eiwitten doorgegeven aan de mitochondriën. Hierin bevinden zich de enzymen van de 'terminale ademhaling' waarin de aangevoerde waterstof wordt gekoppeld aan zuurstof. Het eindproduct van dit proces is water. Bij deze streng gecontroleerde, stapsgewijze koppeling komt heel veel energie vrij. Het hele proces van verbranding kent dus een zuurstofloos of anaeroob gedeelte en een zuurstof-gekoppeld (*aeroob*) gedeelte. De verkregen energie wordt gebruikt om nucleïnezuurachtige moleculen van een of meer fosforgroepen te voorzien (fosforyleren of 'opladen'). De opgeladen moleculen reizen door de cel naar plaatsen waar energie nodig is. Hier worden ze gedefosforyleerd ('ontladen') en dragen ze hun energie over aan de moleculen of aan de processen die energie nodig hebben. Stofwisseling is als we jong zijn heel intensief, omdat we dan in de groei zijn. Ze stabiliseert halverwege het leven en daalt geleidelijk als we ouder worden en bejaard. De wet van behoud van energie dicteert dat onze stofwisseling in evenwicht moet zijn met de hoeveelheid voedsel die we eten. En dat is ook wel te merken. Tijdens de tienerperiode van ons leven, als we in de volle groei zijn, hebben we voortdurend honger en kunnen we dagelijks stapels boterhammen met pindakaas eten zonder er dik van te worden. Gezonde twintigers en dertigers met normale lichaamsbeweging hebben, afhankelijk of hun werkzaamheden veel lichamelijke inspanningen vergen, een stuk minder energie nodig dan tieners. De groei is er immers uit en de stofwisseling begint bijna onmerkbaar trager te worden. Ze hoeven dus ook niet meer zoveel te eten. Omdat de hoeveelheid voedsel die we tot ons nemen een duidelijke relatie heeft met de hoeveelheid energie die we (kunnen) besteden, kan het resultaat van te veel en te calorierijk eten zijn dat er meer energie in ons lichaam wordt opgebouwd dan er wordt verbruikt. De surplusenergie wordt door ons lichaam opgeslagen voor later gebruik: vetweefsel.

Vroeg of laat beginnen wij ons zorgen te maken over ons gewicht. De jonge goden die we waren toen we ons tot de twintigers konden rekenen zijn tegen dat we veertig worden opeens gezette burgers geworden. Sommige mensen krijgen al vroeg last van vetafzetting of van een 'buikje'. Overgewicht trekt weer een wissel op ons hart en zo verloopt het verouderingsproces weer een stukje sneller. De stofwisseling in het algemeen neemt met het verloop van de jaren af en hierdoor zijn mensen van middelbare leeftijd wat eerder moe dan jeugdige personen en hebben ze het in het algemeen eerder koud. De thermostaat van de centrale verwarming gaat elk jaar een beetje hoger. Blijft de veroudering binnenin ons lichaam lang voor de buitenwereld verborgen, de veroudering aan de buitenkant van ons lichaam is heel goed zichtbaar. De stofwisseling van onze huid wordt minder en hierdoor wordt ze, alle zalfjes en voedende oliën ten spijt, uiteindelijk droger en minder soepel en er verschijnen rimpeltjes. We krijgen dunner haar, het haar valt ook nog eens sneller uit en we worden in sommige gevallen helemaal kaal. Dit soort symptomen zijn de duidelijke signalen dat het stofwisselingstempo van ons lichaam met het klimmen der jaren langzaam maar zeker afneemt. Cellen delen minder snel, en ook processen als de wondheling verlopen langzamer. In sommige cellen beginnen afvalstoffen of pigmentkorrels zich op te hopen, bijvoorbeeld in huidcellen en in hersencellen.

Ook al bent u fit en doet u van alles om op het juiste lichaamsgewicht te blijven, en ook al doet u actief aan lichaamsbeweging, de verminderde stofwisseling begint onverbiddelijk merkbaar te worden zo om en nabij het vijftigste levensjaar. Allerlei studies over spierkracht, spiergewicht, longvolume, reactievermogen, uithoudingsvermogen, et cetera laten zonder uitzondering zien dat het onherroepelijk na het vijftigste levensjaar bergafwaarts gaat, bij de een wat sneller dan bij de ander. Onderstaand ziet u een lijstje met symptomen van dit verschijnsel. Ze worden sterker naarmate men ouder wordt. Niemand ontkomt aan veroudering en aan het trager worden van de stofwisseling, hoewel wij thans door de hoge kwaliteit van de medische wetenschap en door de veel betere woon- en voedingsomstandigheden gelukkig een veel grotere levensverwachting hebben dan de mensen die zo'n honderd jaar geleden werden geboren. We verouderen voortdurend, ook al besteden we een fortuin aan allerlei pilletjes en therapieën waarvan de producenten stralend beweren dat ze veroudering stoppen of vertragen. Zonder uitzondering belanden u en ik aan het eind van de rit op ons sterfbed. We zijn ons hele leven bezig tot stof terug te keren. Alleen de tijdsconstante, het tempo waarin dit gebeurt, varieert van individu tot individu.

Symptomen van veroudering:
- vetafzetting onderhuids (vrouwen) en/of rondom de inwendige organen (mannen)
- eerder vermoeid zijn
- vermindering van de hoeveelheid spierweefsel
- dunner wordende en drogere, rimpelende huid
- minder slaap nodig en minder goed slapen
- afname van de elasticiteit van bindweefsel en kraakbeen
- afname van de seksuele prestaties
- afname van het reactievermogen
- minder weerstand tegen ziekten en trager verloop van genezingsprocessen
- afname van de scherpte van de zintuigen
- afname van het leervermogen
- toenemende vergeetachtigheid
- verminderde hartfunctie
- verminderde nierfunctie
- beenderen verliezen mineralen en worden brosser

Sommige organen in ons lichaam hebben eerder en meer last van de teruggang dan andere. Aan het eind van de rit draait de stofwisseling van deze organen steeds trager, begint ze te haperen en stopt dan helemaal. Er zijn organen waarbij het haperen of falen op zich niet direct dodelijk is. Bij ons hart, de pomp van de bloedsomloop en vitaal voor de zuurstofvoorziening naar de hersenen, is stilstand wél fataal. Op het moment dat alle stofwisseling zodanig is verminderd dat het hart stopt met functioneren is het moment gekomen dat de dood intreedt.

Veroudering kan als het ware versneld worden. Bij kankerpatiënten zijn cellen als het ware op hol geslagen, dat wil zeggen dat ze zich ongecontroleerd zijn gaan delen. Voor celdelingsprocessen en celgroeiprocessen is veel energie nodig, wat ten koste gaat van de algemene stofwisseling. Ook worden kankerpatiënten extra belast doordat groeiend tumorweefsel gezond weefsel wegdrukt hetgeen sterk negatief werkt op de activiteit van het aangedane orgaan en de organen die er omheen liggen.

1.5 Proloog op het sterven

Mensen die door ziekte of pure ouderdomsslijtage aan het einde van hun krachten zijn gekomen en gaan overlijden tonen een aantal subtiele en minder subtiele symptomen die in een bepaalde volgorde optreden, soms tegelijk, soms afzonderlijk, en waarvan men (met zekerheid meestal achteraf) kan afleiden dat het overlijden aanstaande is. De meeste van deze symptomen worden veroorzaakt door het flakkeren van de laatste restjes stofwisseling van de stervende, zodat er steeds minder en minder energie beschikbaar is voor de vitale functies.

■ *Afwezigheid en verwarring*
De stervende kan afwezig zijn, confuus en niet meer weten waar hij of zij is, wie er in de kamer aanwezig is en wat er aan de hand is. Bij dementerende personen kunnen deze symptomen gemakkelijk over het hoofd worden gezien. De activiteit van de hoogste hersendelen (de hersenschors van de grote hersenen) wordt minder zodat buitenstaanders de indruk hebben dat de geest van de stervende afstand neemt van het lichaam en van de aardse werkelijkheid.

■ *Sluimeren*

Slaap is een toestand waarin weinig energie wordt verbruikt en waarin het lichaam uitrust van inspanningen en het zich enigszins kan herstellen. Omdat een stervende aan het eind van zijn reserves is, zal elke inspanning gevolgd moeten worden door een periode van rust. Als u bij een stervende bent merkt u dat hij of zij zo nu en dan wegzakt in een korte rustpauze of slaaptoestand.

■ *Koud aanvoelen*

De ledematen van de persoon, meestal de handen en armen, voelen kil aan terwijl de kleur van de huid valer wordt. De stofwisseling draait nog minimaal, dus wordt er door de lichaamscellen minimaal warmte geproduceerd. Ons lichaam heeft als eigenschap dat het zo lang mogelijk probeert de vitale organen te ondersteunen, desnoods ten koste van minder vitale organen. Tot de vitale organen behoren de hersenen en het hart, de ledematen tot de minder vitale.

■ *Incontinentie*

Voorafgaand aan het overlijden neemt de urineproductie af, en als de patiënt niet genoeg vocht toegediend krijgt, en vooral als vocht zich in de longen begint op te hopen, wordt er minder urine door de nieren uitgescheiden. De hoeveelheid urine neemt af en de kleur wordt donkerder.

Een stervende persoon kan de beheersing verliezen over de sluitspieren van de blaas en het spijsverteringskanaal. Na het overlijden verslappen alle spieren sowieso, dus ook de sluitspieren van de blaas en de darm.

1.6 De laatste levensmomenten

Al enige tijd voordat een mens echt overlijdt is er al een aantal processen in gang gezet. Een van die processen is het binnendringen van vocht in de longblaasjes. Een ander proces is het slechten van de barrière die bij gezonde personen in de darmwand bestaat en waardoor er normaal gesproken geen micro-organismen uit het inwendige van de darm door het slijmvlies heen in de bloedstroom terecht kunnen komen. Reeds voordat we echt dood zijn, slaan sommige micro-organismen uit onze ingewanden als echte opportunisten al hun slag.

Vlak voor het overlijden treden vaak de volgende symptomen op:

■ *Reutelende ademhaling*
Toenemende vochtophoping in de luchtwegen zorgt er vaak voor dat de stervende moeite heeft met het ademhalen. Omdat er geen energie meer is om krachtig te hoesten kan de ademhaling licht hoestend, stotend en reutelend verlopen. De ademhaling wordt steeds vlakker, met tussenpozen waarin helemaal geen adem wordt gehaald of waarin onregelmatig wordt geademd.

■ *Verlies van de behoefte om te eten of te drinken*
De stervende verliest elke behoefte aan voedsel en vocht. Om deze reden wordt het in handleidingen voor verplegend personeel afgeraden om stervenden geforceerd water te geven. Verdroging wordt vaak tegengegaan door iets fris in de mond van de stervende te leggen, bijvoorbeeld een klein stukje ijs, of men heeft een wattenstaafje gereed met wat glycerine waarmee men over de tong en de lippen strijkt. De slijmvliezen van de mond drogen hierdoor niet uit waarmee het comfort van de stervende is gediend. Alle handelingen van het verplegend personeel zijn er op gericht om de laatste ogenblikken voor de stervende zo draaglijk mogelijk te maken. Eventueel wist men het voorhoofd met een koele doek.

■ *Terugtrekken*
De stervende ligt heel sereen in bed, alsof hij of zij in coma is, en reageert nauwelijks. Toch is de gehoorzin nog intact en betrokkene hoort en begrijpt soms de zacht uitgesproken, opbeurende woorden die geliefden uitspreken. De stervende aanraken of de hand vasthouden kan aan de stervende steun geven.

■ *Rusteloosheid*
Andere mensen vertonen rusteloosheid en gebaren of wriemelen voortdurend met hun handen alsof ze willen aangeven dat ze niet gereed zijn voor de komende ingrijpende gebeurtenis.

■ *Visioenen*
Voor degenen die bij een stervende aanwezig zijn kan het behoorlijk
verontrustend overkomen als de stervende plotseling meedeelt of sta-
melt dat hij of zij iemand 'ziet' die zich niet in de kamer bevindt, of
zelfs iemand die korter of langer geleden is overleden. Ook komt het
voor dat de stervende stralend licht ziet of zegt een engel te zien of een
hand die uit het oneindige komt en die probeert de stervende aan te
raken of op te beuren. Met name mensen die bijna-doodervaringen
hebben gehad bevestigen zulke visioenachtige verschijnselen.

■ *Alleen willen zijn*
Niet iedereen stelt het op prijs dat er mensen in de buurt zijn als men
iets bijzonder belangrijks doet, en dit kan ook het geval zijn als men
sterft. De stervende geeft soms aan dat alleen de meest nabije verwanten in de buurt mogen blijven, en er zijn zelfs taferelen beschreven
waarbij de aanwezigen de kamer uit werden gevloekt.

■ *Zuchten, kreten, gebaren*
U kunt de indruk krijgen dat de stervende persoon nog iets belangrijks
wil zeggen voordat de dood intreedt. Dit kan gepaard gaan met eenvoudige gebaren, maar ook met heftig gesticuleren.

■ *Sterven*
Iedereen sterft op zijn eigen manier en alle wensen dienaangaande ver-
dienen het tot het laatst gerespecteerd te worden.

1.7 Vaststellen dat iemand is overleden

De symptomen aan de hand waarvan de arts vaststelt dat iemand dood
is zijn de volgende:
• Er is geen ademhaling
• Er is geen waarneembare pols- en hartslag
• Er is geen waarneembare hersenactiviteit
• Er zijn geen spierreflexen, de spieren zijn slap
• De sluitspieren van de blaas en de darm zijn verslapt
• De oogleden zijn half gesloten

- De oogleden knipperen niet, ook niet als het oog wordt aangeraakt
- Er zijn geen oogbewegingen en de ogen staren naar een vast punt
- De pupillen zijn verwijd en reageren niet op licht
- De kaakspieren zijn verslapt en de mond staat een beetje open

Volgens de wet moet de arts een verklaring van overlijden invullen en ondertekenen, als hij of zij er tenminste van overtuigd is dat de dood is ingetreden ten gevolge van een natuurlijke oorzaak. Is de dood niet op natuurlijke wijze ingetreden, zoals bijvoorbeeld bij euthanasie of bij zelfdoding, dan komt er een door de gemeente aangewezen lijkschouwer aan te pas, die de verklaring invult. De gemeentelijke lijkschouwer is altijd een arts.

1.8 Bijna-doodervaringen

Wat staat ons te wachten als we echt helemaal dood zijn? Er is weinig houvast want er is nog nooit iemand geweest die zijn dood heeft kunnen navertellen. We kunnen misschien alleen maar even door een kleine kier kijken. Er bestaan namelijk veel fascinerende verhalen en getuigenissen van mensen die een bijna-doodervaring hebben meegemaakt. Een bijna-doodervaring is een buitengewoon diep op een mens ingrijpende ervaring die optreedt naar aanleiding van een zeer ernstig lichamelijk trauma waarbij men niet alleen oog in oog met de dood heeft gestaan, maar eigenlijk nog een klein stapje verder heeft gedaan voordat men weer terug bij de levenden is gekomen. Voorbeelden zijn een zware hartaanval die iemand door tijdig ingrijpen van deskundige hulpverleners na een lang gevecht tegen de dood ternauwernood overleeft en kan navertellen, of een situatie waarbij men al heel ver op weg was om te bezwijken aan bevriezing of verdrinking maar waarbij men als door een mirakel werd gered en uit de omhelzing van de dood weggesleurd werd, zoals dat zo mooi heet. De betrokkene vertelt steevast dat hij of zij los kwam van het lichaam. Pijn werd niet gevoeld, terwijl de waarnemingszin volkomen intact bleef en men verwonderd van een afstand keek naar alle drukte rondom iemands lichaam dat tot verbazing van de betrokkene het eigen lichaam bleek te zijn. Dat al die mensen zo intens met dat lichaam bezig waren om de levensgeesten weer op te wekken en zich verschrikkelijk druk maakten werd door de betrokkenen helemaal niet beseft. De overweldigende indruk bij bijna-doodervaringen is dat de geest een eind weg was van het eigen, fysieke lichaam, er geen contact meer mee had, en dat ze wat richtingloos rondzweefde, gescheiden van het aardse tijdruimtekader.

De Belgische criminologe Anja Opdebeeck heeft in 2001 voor haar proefschrift uitgezocht welke overeenkomsten een groot aantal gevallen van bijna-doodervaringen vertonen:

- men had het zeer heldere besef dood te gaan
- er was een sterke belevenis dat de geest het fysieke lichaam ging verlaten
- men werd overspoeld door gevoelens van vrede, vreugde of euforie
- pijnbeleving verdween
- vaak werd een tunnel gezien, of een licht, en werd er een reis door die tunnel gemaakt in de richting van het licht
- men ontmoette overledenen en geestelijke wezens zoals engelen of vergelijkbare figuren
- men zag het eigen leven als een versnelde film langs trekken
- men ervoer het gevoel alwetend te zijn
- een ander vaak voorkomend gevoel was de ervaring opgenomen te worden door een onvoorwaardelijke liefdeskracht, waarbij men zich enerzijds bewust bleef van zijn eigen individualiteit en tegelijkertijd het gevoel had één te zijn met alles
- en... men bereikte een onherroepelijke grens: tot hier en niet verder of anders is er geen weg meer terug.

De essentie van bijna-doodervaringen is dat alle geïnterviewde mensen na het bereiken van de onherroepelijke grens deze niet zijn overgestoken. Logisch, want ze werden al dan niet vrijwillig gereanimeerd en keerden terug tot het aardse leven. Met andere woorden, medisch gezien zijn ze dus nooit helemaal dood geweest.

De ervaringen die hierboven worden beschreven zijn drempelervaringen waarbij moet worden aangetekend dat ze meestal bepaald niet onder normale omstandigheden werden ervaren. Het is bekend dat er onder bepaalde omstandigheden waarbij er in de hersenen zuurstofgebrek optreedt, waarnemingen kunnen worden gerapporteerd die niet tegelijk door instrumenten worden geregistreerd. Datgene wat we ervaren bij flauwvallen lijkt er een beetje op. Men wordt ijskoud, zweverig, soms voel je jezelf opstijgen of je lichaam steeds langer worden, geluiden lijken van steeds verder weg te komen, er verschijnen vlekken voor de ogen, en je kijkt als het ware door een steeds langere tunnel naar een vage werkelijkheid, die als een vertraagde film ver van je vandaan gebeurt. De hele wereld wordt een vertraagde kaleidoscoop. Daarna ben je weg en beland je op een heel andere plek met wat vage herinneringen over wat er gebeurd is. Ik geef het u te doen om op zo'n moment nuchter en objectief te blijven rapporteren. Ook is het zo dat onze waarneming dikwijls helemaal niet objectief is maar op alle mogelijke manieren wordt beïnvloed door de toestand waarin we verkeren. Als we fit en alert zijn nemen we scherp waar. Als we moe zijn is dat een stuk minder. Probeert u maar eens een lange autorit te maken als u uitgeput bent. Vroeg of laat ziet u de weg dubbel of mist u de juiste afslag, zo het al niet fataler afloopt.

Een van de eerste dingen die elke student geneeskunde of natuurwetenschappen leert is dat zijn eigen zintuigen als waarnemingsinstrument volkomen onbetrouwbaar zijn en nooit, maar dan ook nooit, objectief zijn. Een mooi voorbeeld komt uit een artikel in het tijdschrift *Nature* van september 2002. Elektrische prikkeling van een heel apart stukje hersenschors van een patiënte gaf de vrouw onder andere het gevoel dat ze boven haar bed zweefde, dicht tegen het plafond. Het is bekend dat de hersenen onder omstandigheden met verminderde zuurstoftoevoer anders reageren dan normaal. In stresssituaties kunnen sommige hersenencellen stoffen maken die op hormonen lijken en die pijnonderdrukkend werken, de zogenaamde endorfinen. Ten slotte is het bekend dat de pijndrempel van mensen danig kan veranderen onder omstandigheden van zware stress.

1.9 Coma

Er zijn omstandigheden waarin iemand een verschrikkelijk trauma heeft opgelopen waarbij de arts de vraag moet beantwoorden of de patiënt dood is of niet. Kenmerkend is dat de patiënt een tijdje onvoldoende of geen zuurstof heeft gehad, hetgeen bijvoorbeeld kan gebeuren als betrokkene door het ijs is gezakt, onder de ijslaag terecht is gekomen en niet snel genoeg is gered, of getroffen is door een zware hersenbloeding of als zijn bloed vergiftigd is door koolmonoxide. De ademhaling kan enige tijd onderbroken zijn, het hart kan een paar minuten niet meer geklopt hebben, onder andere als gevolg van een hartinfarct, maar waar ligt de grens? Op de intensivecare-afdelingen van onze ziekenhuizen kan men steeds vaker slachtoffers van zeer ernstige ongevallen in leven houden door middel van kunstmatige beademing en continue hartbewaking, ook al wordt bij de patiënt geen enkele activiteit van de hersenen meer waargenomen.

Als een persoon zo'n zware klap heeft opgelopen, kan hij of zij zo totaal van de wereld raken dat een toestand volgt van aanhoudende diepe bewusteloosheid die wordt aangeduid met *coma*. Het woord coma is afgeleid van het Griekse woord voor diepe slaap. Hartslag, ademhaling, spijsvertering, alles werkt normaal, en er is activiteit van de lagere hersendelen, maar er is geen waarneembaar teken van zintuiglijke waarneming: zien, horen, ruiken, voelen, en reacties daarop. Reflexen zijn niet aanwezig. De zintuigen zijn als het ware compleet uitgeschakeld. De comateuze patiënt ligt vaak met de ogen gesloten en ziet er slapend uit, maar reageert totaal niet op prikkels vanuit de omgeving. De patiënt is zeer zeker niet dood, maar wat is hij dan wel? Hij beleeft niets. Tot het moment dat de patiënt ontwaakt aan het eind van een lang proces van geleidelijk minder diep wordend coma, is hij totaal van de wereld en volledig aangewezen op intensieve zorg. Er bestaat een aantal therapieën met als doel de comateuze patiënt te stimuleren om uit zijn toestand terug te keren naar de zintuiglijke wereld (reanimatie). Als de hersenen beschadigd zijn geraakt bij het trauma, is de kans groot dat de patiënt na terugkeer naar bewustzijn een geestelijke handicap aan zijn ongeluk overhoudt. Alleen de zeer gelukkigen houden geen schade aan hun zeer diepe bewusteloosheid over. Vaak komt het voor dat terugkeer naar de zintuiglijke wereld niet lukt en de patiënt na kortere of langere tijd verzorgd te zijn geweest toch overlijdt, bijvoorbeeld aan infectie of longontsteking. Er zijn gevallen bekend van mensen die jaren in coma hebben gelegen voordat ze tenslotte zonder ooit te zijn bijgekomen in een verpleegtehuis overleden.

De patiënt die uit coma ontwaakt herinnert zich in het algemeen helemaal niets van de comateuze staat waarin hij of zij kort of lang heeft verkeerd. Men neemt derhalve vrij algemeen aan, en ook omdat de comapatiënt geen reactie op prikkels vertoont, dat personen in comateuze toestand geen ervaringen hebben van hun bestaan, noch in positieve, noch in negatieve zin. Een enkeling die ontwaakt uit coma verhaalt van een bijna-doodervaring.

1.10 Coma vigil

Indien de comateuze patiënt niet overlijdt en zijn lichaam uiterlijk herstelt van het trauma die het heeft opgelopen, maar tegelijk niet tot bewustzijn terugkeert, blijft de patiënt in comatoestand sluimeren. Zo'n patiënt heeft een soort slaap-waakritme en alleen de automatische lichaamsfuncties keren terug, niet de bewuste. De patiënt lijkt wakker en bij bewustzijn, maar hij reageert helemaal niet als men zijn zintuigen stimuleert. Deze toestand kan heel stabiel maanden, zo niet jaren, aanhouden. Een langdurig coma wordt aangeduid met *coma vigil*, of tegenwoordig vaker met de vertaling van de Angelsaksische aanduiding, *aanhoudend vegetatieve toestand* (PVS, *persistent vegetative state*). De patiënt die in vegetatieve toestand is geraakt, wordt overgebracht van het ziekenhuis naar een verpleegtehuis waar hij verder als een kasplantje wordt verzorgd.

De patiënt in coma vigil heeft geen beademing nodig. De patiënt kan heel weinig activiteit vertonen, dat wil zeggen dat hij niet of zwak reflex-achtig reageert op prikkels, hij kan sterker reflex-achtig reageren en strek- of schrikreacties tonen zonder dat er gewenning optreedt. De ogen kunnen heen en weer gaan zonder dat er sprake is van een volgreactie en het gelaat kan bij prikkeling vertrekken. Soms is er hoop op verbetering, namelijk als de patiënt tekenen vertoont die men kan aanzien voor een aarzelend begin van ontwaken. Soms keert een soort slaap-waakritme terug, opent de patiënt zijn ogen of reageert hij op geluid door zich in de richting van de prikkel te wenden, of lijkt hij geluid voort te brengen. Bij de verwanten flakkert dan de hoop op herstel even op. Vaak is de opleving tijdelijk, zet het herstel niet door en zakt de patiënt weer volledig terug in zijn eindeloze vegetatieve staat. Alle betrokkenen beleven dit als een stapje verder op een verschrikkelijke en schier hopeloze weg die iedereen geestelijk sloopt en waarin op den duur alle hoop op herstel volledig wegzakt. Het moment kan aan-

24

breken, bijvoorbeeld als de patiënt ondanks alle goede zorg ernstige verschijnselen van doorliggen krijgt, dat het uitzicht op een leefbaar bestaan eigenlijk niet meer aanwezig is en achter de zin van het voortzetten van de vegetatieve staat een vraagteken kan worden geplaatst.

De medische verklaring van coma is gebaseerd op de kennis van de werking van onze hersenen. Hersenactiviteit is zeer belangrijk bij het bepalen of iemand overleden is of niet. Nu is hersenactiviteit helemaal geen eenvoudig te verklaren verschijnsel. Een neuroloog onderscheidt het zenuwstelsel op grond van zijn ligging in het centrale zenuwstelsel en het perifere zenuwstelsel. Het centrale zenuwstelsel is ruwweg alles wat zich binnen de hersenschedel en in het wervelkanaal bevindt. Het perifere zenuwstelsel bestaat uit alle hersenzenuwen, ruggenmergzenuwen en vegetatieve zenuwen. De neuroloog rekent de zenuwen die zich in de hersenschedel of het wervelkanaal bevinden tot het perifere zenuwstelsel. De belangrijkste structuren van het centrale zenuwstelsel zijn de grote hersenen, tussenhersenen, kleine hersenen, de hersenstam en het ruggenmerg. De grote hersenen bestaan vooral uit de windingen en groeven van de grijze stof: hersenschors, tezamen met enorme pakketten vezels: de witte stof. Onze hersenschors maakt ons tot wat wij zijn. In de windingen van de grijze stof bevinden zich allerlei soorten zenuwcellen, aangevuld met steuncellen. De belangrijkste zenuwcellen in de hersenschors zijn de piramidecellen. Deze cellen verwerken waarnemingen en slaan ze op om ze later te herinneren, ze nemen besluiten, laten ons bewust zijn en veroorzaken de activiteit waardoor onze spieren goed op elkaar zijn afgestemd en ze goed gedoseerd samentrekken. De zenuwcellen in de kleine hersenen staan in nauwe verbinding met het evenwichtsorgaan en het ruggenmerg en coördineren de spierbewegingen in het lichaam. De hersenstam bevat vooral opstijgende en afdalende zenuwbanen: gevoelsinformatie gaat richting grote hersenen, motorische impulsen gaan naar beneden, richting ruggenmerg. De hersenstam is bovendien heel belangrijk omdat in dit gedeelte van de hersenen tussen de vezelbanen celgroepen liggen die een groot aantal lichaamsfuncties besturen waarvan een van de voornaamste de ademhaling is. Een andere, zeer belangrijke groep cellen, de *formatio reticularis* – losjes verspreid in de hersenstam – fungeert als aangever van de bewustzijnstoestand van de grote hersenen. De tussenhersenen fungeren als schakelstation tussen hersenschors, hersenstam en kleine hersenen. Net zoals een secretaresse soms beslist wie wel en wie niet toegang heeft tot de baas, regelen de tussenhersenen als een soort supersecretariaat alle toegang vanuit de lagere hersendelen naar de grote hersenen.

Omdat zenuwcellen, dus ook de piramidecellen van de hersenschors, elektrische signalen naar elkaar afgeven, genereren de hersenen meetbare elektrische activiteit. Deze elektrische activiteit kan met elektroden worden gemeten en zichtbaar gemaakt in het EEG (elektro-encefalogram). Het EEG van hersenschors vertoont kenmerkende golfpatronen zoals alfa-, gamma- en thèta-ritmes.

De cellen in onze hersenen zijn hooggespecialiseerd en bijzonder kwetsbaar voor zuurstofgebrek. Vijf tot zes minuten zonder zuurstof en ze hebben zulke onherstelbare schade opgelopen dat ze alle elektrische activiteit verliezen en daarna onherroepelijk afsterven. Hersencellen die wegvallen worden nooit meer vervangen. Op een hersenscan is het proces van afsterven van zenuwcellen te zien in de vorm van het opzwellen van de hersenen (oedeem). De hersenstam is in dit opzicht iets minder gevoelig dan de hersenschors. Er kan dus een situatie ontstaan waarbij de hersenschors niet meer functioneert terwijl de hersenstam dit in zekere mate nog wel doet en met name de zenuwcellen die de ademhaling verzorgen nog actief zijn. Terwijl het lichaam nog leeft in die zin dat het hart klopt, de persoon ademt, er hersenstamactiviteit wordt gemeten en de stofwisseling van het lichaam intact is, is de hersenschors, de zetel van het bewustzijn en van het ik, onherstelbaar beschadigd, het EEG vlak en verkeert de persoon permanent in een vegetatieve staat waaruit hij niet meer zal ontwaken. Is deze persoon dood of niet? De tijdelijk optredende vroege symptomen van ontwaken die worden waargenomen bij patiënten die in coma vigil verkeren, moeten volgens de neurologische wetenschap worden toegeschreven aan reflex-achtige, niet-gecoördineerde activiteit van hersenstamcellen, en vinden dus plaats in het verre onderbewustzijn. De wetenschap noemt deze persoon ook wel 'klinisch dood' om het onderscheid te maken met 'biologisch dood' waarbij alle levenssymptomen zijn verdwenen. Omdat de hersenschors van iemand die klinisch dood is niet meer functioneert, is het niet aannemelijk dat deze persoon waarneemt, droomt, herinnert of wat voor bewuste processen dan ook ervaart. Dit is dus een andere situatie dan het bijna-dood-zijn waarbij de hersenschors intact blijft. Als de hersenschors en de hersenstam allebei totaal geen activiteit meer vertonen is de patiënt hersendood. Deze patiënten halen niet meer op eigen kracht adem omdat de cellen van het ademhalingscentrum in de hersenstam niet meer actief zijn. In een goed uitgerust ziekenhuis kan het lichaam van de hersendode patiënt met behulp van kunstmatige beademing en voeding in leven worden gehouden. Een persoon mag dan wel klinisch gesproken dood of hersendood zijn, maar er is nog wél stofwisseling, al wordt die kunstmatig ondersteund. Stofwisseling is, zoals hierboven reeds uitvoerig aangeduid, een essentieel onderdeel van het leven. Vanuit de criteria voor leven is de betrokkene dus niet echt dood. Wat is hij dan wel, en wat voor wettelijke status heeft dit en wat zijn de gevolgen voor de verwanten en erfgenamen? De wetgever heeft deze gordiaanse knoop doorgehakt door mensen die hersendood zijn te beschouwen als te zijn overleden. Voor de wet staat een hersendode patiënt dus gelijk aan een op de normale wijze overleden persoon. Deze door de wet erkende toestand van de 'levende overledene' is een belangrijk gegeven voor orgaandonatie (zie hoofdstuk 5).

1.11 Hoe diep is de patiënt in coma?

Omdat de wetgever iemand die hersendood is beschouwt als te zijn overleden is het buitengewoon belangrijk om precies en objectief vast te stellen hoe diep iemand in coma is. Hiervoor heeft men verschillende systemen bedacht van proeven en waarnemingen waarmee de diepte van de comateuze toestand min of meer waardenvrij kan worden vastgesteld en waarmee kan worden bekeken of een bepaalde behandeling succes heeft of niet. Een van deze systemen is de *Glasgow comaschaal*. De medici gebruiken drie groepen waarnemingen, de zogenaamde EMV-score (*eye-motor-verbal*), waarmee ze punten aan de patiënt toekennen.

Hoe hoger de score hoe beter, want de hoger scorende patiënt heeft minder bewustzijnverlies dan de lager scorende patiënt. Als in een van de groepen de score hoger is dan de streefscore, is er geen sprake meer van coma.

Glasgow coma-schaal

Groep waarneming	Criterium	Score	Streefscore
Eye (oog): actief openen van de ogen	spontaan alleen bij aanspreken alleen op pijnprikkels niet	4 3 2 1	>1
Motor response (beweging): motorische reactie	voert opdrachten uit lokaliseert pijnprikkels trekt terug bij pijn buigt abnormaal bij pijn strekt bij pijn geen reactie op pijn	6 5 4 3 2 1	>5
Verbal response (spraak): verbale reactie	helder en georiënteerd verwarde conversatie spreekt inadequaat geeft alleen geluid geeft geen geluid	5 4 3 2 1	>2

U ziet aan de tabel dat er sprake is van een glijdende schaal. Dit is niet voor niets zo, want het minder diep worden en tenslotte het ontwaken uit coma is een langzaam verlopend proces. Gedurende dit proces kan een patiënt gemakkelijk in een stadium blijven steken. Alleen de schrijver van een slecht filmscript laat zijn personages diep in coma geraken om ze vervolgens in een paar seconden weer tot leven en tot actie te brengen. Film en tv zijn dankbare media, maar laat u niet misleiden. Het sprookje *Sneeuwwitje en de zeven dwergen* is eigenlijk een klassiek voorbeeld van zo'n slecht script. De heks krijgt het voor elkaar dat Sneeuwwitje een hapje neemt uit een vergiftigde appel. Het arme kind vervalt in een toestand waarbij ze lijkt te slapen en waarbij ze niet meer reageert op uitwendige prikkels. Coma! Pas als enige tijd na het trauma een zeer bijzondere prikkel wordt aangeboden ontwaakt de heldin van het verhaal uit haar coma met onmiddellijke en volledige beheersing van alle vitale lichaamsfuncties. Verbazingwekkend!

Een neuroloog kan naast het doen van de tests van de Glasgow comaschaal ook een EEG van de comateuze patiënt beoordelen. Het EEG van een patiënt in vegetatieve toestand is niet vlak; eigenlijk laat het op het eerste gezicht redelijk normale golfpatronen zien. Bij een gezond mens verandert het EEG als de betrokkene prikkels van buitenaf ontvangt. Bij comapatiënten veranderen de golfpatronen niet als de zintuigen worden gestimuleerd.

1.12 Schijndood

Dankzij de enorme vooruitgang van de medische wetenschap kan men vandaag de dag veel beter dan vroeger met grote precisie vaststellen of iemand écht dood is of niet. Toch komt u ook nu nog een enkele keer in de krant een melding tegen over iemand die dood was verklaard en die tóch nog bleek te leven. Zo'n casus is meestal te wijten aan slordigheid of aan incompetentie van het verantwoordelijk medisch personeel. Hoe gemakkelijk het vaststellen van het overlijden in theorie ook lijkt, zo moeilijk is het soms in de praktijk. Vroeger was het door het ontbreken van gevoelige instrumenten nog veel moeilijker. Misschien waren de mensen ook wat bijgeloviger dan tegenwoordig, want verhalen over schijndoden kwamen toen regelmatig voor. Schijndood-zijn, en vooral het idee om in schijndode toestand levend begraven te worden, was voor dokters en chirurgijnen, maar natuurlijk vooral voor de slachtoffers in spé, een kippenvelopwekkende gedachte die niet al te goed was voor een gezonde nachtrust. Met name tijdens de grote pestepidemieën aan het eind van de Middeleeuwen schijnen er nogal wat bijna-dode slachtoffers in massagraven gedumpt te zijn, samen met werkelijk aan de gevreesde ziekte overleden personen. Ziekte was niet de enige oorzaak van het in een schijndode toestand geraken. In de geschiedenis en ook in de moderne tijd zijn er verhalen te over van personen over wie om allerlei redenen vervloekingen waren uitgesproken en die tegen de akelige gevolgen aanliepen. Veel uitgekookter zijn de gevallen waarin mensen in het geniep gifstoffen kregen toegediend die hen in een schijndode toestand brachten waarna ze snel overleden werden verklaard en ter aarde besteld. Bedreven beoefenaars van voodoopraktijken zijn bekend met de werking van de nodige vergiften, bijvoorbeeld het gif gewonnen uit de doornappel (*Datura stramonium*) en het tetrodoxine uit de kogelvis (*Fugu rubripes*). Deze stofjes kunnen, indien de juiste dosis wordt toegediend, een vorm van schijndood veroorzaken. De slachtoffers zouden volledig bij bewustzijn zijn en ervaren wat er rond hen gebeurt, maar ze kunnen absoluut niet reageren. Ze worden dood verklaard en met de nodige rituelen begraven. Het verhaal gaat dat deze betreurenswaardige personen kort na de begrafenis 's nachts door een voodoopriester weer worden opgegraven en tot leven gebracht waarna ze als willoze zombies voor eeuwig moeten doen wat de meester hen opdraagt. Er bestaan meer stofjes die dieren of mensen in een soort zombies veranderen. Het beroemde curare is bijvoorbeeld ook zo'n middeltje. Dit gif behoort tot een hele groep van chemische stoffen die met name de skeletspieren compleet verlammen en waarbij tegelijkertijd de hersenactiviteit niet onmiddellijk wordt aangetast. Omdat ook de ademhalingsspieren van de borstkas verlamd raken, raakt het slachtoffer door zuurstofgebrek in coma en stikt hij. Op dat moment is het gedaan met de hersenactiviteit en is het slachtoffer biologisch dood. In kringen van kruidendokters en magiërs is bekend dat extracten van planten als dollekervel (*Chaerophyllum temulum*) en mandragora (*Mandragora officinarum*) soortgelijke verlammende effecten op het spierstelsel hebben. Dollekervel verdient speciale aandacht omdat de werking van het gif uit dit kruid al in de oudheid bekend was. De Griekse wijsgeer Socrates werd in 399 voor Christus in Athene veroordeeld tot het leegdrinken van de gifbeker. Deze beker (eerder een eenvoudig napje dan een royale bokaal) bevatte vermoedelijk wijn vermengd met fijngewreven blaadjes dollekervel. Deze gifdood stond bij de Grieken bekend als de 'koude afdaling naar Hades'. Plato, een van de leerlingen van Socrates, beschrijft in het toneelstuk *Phaedo* heel klinisch de gevolgen van het drinken van het gif. Socrates ijsbeerde wat rond totdat hij zijn voeten zwaar voelde worden en ging toen op een rustbank liggen. De man die het gif had toegediend voelde aan zijn voeten en benen. Hij kneep stevig in een voet en vroeg of Socrates hier iets van voelde. Socrates zei dat hij niets voelde. Vervolgens kneep de man in Socrates' onderbeen en daarna in het bovenbeen. Deze voelden koud en stijf aan. De laatste woorden van de stervende wijsgeer aan zijn helper Kriton waren 'laten we niet vergeten dat we Asklepios nog een haan moeten offeren'. Het dollekervelextract blijkt dus een gif te zijn dat bij voldoende dosis spierverlamming veroorzaakt, eerst in de ledematen en daarna in de centrale delen van het lichaam, totdat de dood intreedt door verlamming van de ademhalingsspieren en het hart.

Om te voorkomen dat schijndode mensen werden begraven werden maatregelen bedacht om vast te stellen dat de overledene werkelijk biologisch dood was. In de 18e eeuw stelde de Deense professor Winslow voor om de geur van lijklucht (teken van ontbinding) als belangrijkste criterium te nemen om volledige zekerheid te hebben dat iemand écht dood was. Men huldigde in die tijd de opvatting dat ziekten konden worden verspreid door het zogeheten *miasma*, de uitwaseming van bedorven lucht en stank. Dat ratten en ander ongedierte ziekteverwekkers met zich kunnen meedragen was toen nog niet bekend.

1.13 Speciaal geval van schijndood: onderkoeling

Ons lichaam raakt onderkoeld als het (te veel) warmte aan de omgeving verliest zonder dat het lichaam ter compensatie genoeg warmte kan produceren. Dit warmteverlies wordt beïnvloed door zaken zoals de omgevingstemperatuur, wind, vochtigheid en de warmteisolerende eigenschappen van de kleding. Hiernaast speelt ook de conditie van het slachtoffer een rol. U weet uit eigen ervaring dat uw vingers of uw tenen helemaal gevoelloos, 'dood' kunnen zijn van de kou terwijl de rest van uw lichaam het nog redelijk behaaglijk warm kan hebben. De ledematen hebben dus eerder te lijden van kou dan de rest van het lichaam. De oorzaak hiervan is dat de hersenen de bloedsomloop en hiermee de warmtehuishouding van ons lichaam zo regelt dat de belangrijke inwendige organen voorrang hebben boven de ledematen en zo lang als enigszins mogelijk is op normale lichaamstemperatuur worden gehouden. Hoe dit precies in elkaar steekt leest u verderop. Men maakt hierom onderscheid tussen de zogenaamde *schiltemperatuur* (de temperatuur van de buitenkant: de ledematen en de huid) en de *kerntemperatuur* (de temperatuur van de belangrijke inwendige organen:

hart, lever, nieren, longen, hersenen). Het lichaam bezit actieve en heel nauwkeurige mechanismen om de temperatuur van de huid, organen en ledematen te regelen. Speciale cellen in het zenuwstelsel bezitten uitlopers die naar alle hoekjes en gaatjes van het lichaam lopen en die eindigen rondom de bloedvaten. Door heel plaatselijk bloedvaten te laten vernauwen of te verwijden wordt de bloedstroom naar een bepaald orgaan nauwkeurig gereguleerd. Bloed is warm, dus de bloedvaten dienen niet alleen om zuurstof te vervoeren maar ook om warmte te distribueren. Onze huid vervult de rol van radiateur, en bloed is de koelvloeistof. Produceert ons lichaam te veel warmte, bijvoorbeeld als we ons fysiek inspannen, dan verwijden de bloedvaatjes in de huid, passeert er meer bloed en kan warmte op deze manier aan de koelere omgevingslucht worden afgegeven. Produceert het lichaam te weinig warmte, dan vernauwen de bloedvaatjes in de huid en passeert er dus minder bloed en wordt er minder warmte aan de buitenlucht afgegeven. Loopt u zonder handschoenen en zonder u veel in te spannen in een stevige vrieskou, dan kunt u zodanig afkoelen dat uw lichaam reageert door de bloedvaten naar uw vingers zo sterk te vernauwen dat ze nog nauwelijks warmte kunnen transporteren en uw vingers als gevolg daarvan ijs- en ijskoud worden. Als de zenuwen in uw vingers door de kou verdoofd raken verliest u het gevoel in uw vingers en zijn ze helemaal 'dood' tot ze weer opwarmen. Het lichaam probeert onder alle omstandigheden de kerntemperatuur op 37 graden te houden, ten koste van de schiltemperatuur. Wat wij als onderkoeling bestempelen is dus de daling van de kerntemperatuur van ons lichaam. Men onderscheidt vier fasen van onderkoeling: excitatiefase, uitputtingsfase, verlammingsfase en coma (schijndood). Het volgende stadium is de dood.

In de *excitatiefase* (37–34 graden) daalt de kerntemperatuur naar waarden beneden 37 graden. De polsslag en het ademtempo nemen af. De onderkoelde persoon voelt zich gedesoriënteerd, verward en voelt zich steeds slaperiger worden. Daalt de temperatuur tot 34 graden, dan treden bovendien geheugenstoornissen op. De kerntemperatuur kan uit deze fase weer herstellen als men de onderkoelde persoon in een slaapzak stopt met een warme kruik of door hem een isolerende reddingsdeken om te doen en over te brengen naar een beschutte omgeving waarin hij snel kan opwarmen.

De kerntemperatuur hoeft eigenlijk maar een paar graden verder te dalen en de spieren worden stijf, zeker in de ledematen die moeilijker te gebruiken zijn en die gevoelloos beginnen te worden. De onderkoelde persoon bevindt zich in wat men de *uitputtingsfase* noemt (34–30 graden). Daalt de kerntemperatuur nog iets verder, zo rond 31 graden, dan wordt het bewustzijnsniveau minder. De onderkoelde persoon wordt duf en slaperig. Het slachtoffer raakt vervolgens buiten bewustzijn en bevindt zich in een koudenarcose. Bij 30 graden verdwijnen de spierreflexen, de pols is niet meer voelbaar en de pupilreflex verdwijnt (de ogen blijven wijd open). Nu bevindt de patiënt zich duidelijk in de gevarenzone. Indien de kerntemperatuur nog lager wordt, dan treedt de *verlammingsfase* in (30–27 graden). De patiënt is *schijndood*, het hartritme is onregelmatig en haast niet waarneembaar, en het bloed stroomt nog nauwelijks. De patiënt kan nog gereanimeerd worden, maar blijvende schade is niet uitgesloten. Indien deze onderkoelde toestand lang aanhoudt, of als de kerntemperatuur beneden 27 graden daalt, overlijdt het slachtoffer. Het vaststellen dat een slachtoffer aan onderkoeling is overleden kan pas worden gedaan als het lichaam weer is opgewarmd. Mocht u ooit in de omstandigheid zijn dat u iemand uit het koude water redt of dat u iemand bewusteloos en koud aantreft, dan moet u zo snel mogelijk een EHBO'er of liever een arts erbij halen. U kunt niet (en u mag ook niet) de dood constateren want dat moet namelijk een arts doen.

Beroemd schilderij van Antoine Wiertz (1806-1865)
L'enterrement premature
Zie 3.5 Levend begraven

Hoofdstuk 2

Na het overlijden

2.1 Definitief

Vrijwel overal ter wereld stelt een arts of een daartoe bevoegde ambtenaar vast dat de dood definitief is ingetreden en legt het feit van het overlijden vast in een document dat naar het gemeentehuis gaat om de bevolkingsstatistieken bij te werken. Uiteindelijk belandt zo'n overlijdensverklaring in het archief en is de overledene een naam geworden in een stamboom die steeds maar groeit en groeit.

Wat gebeurt er met het stoffelijk overschot direct na het overlijden en op iets langere termijn? Het is al heel lang gewoonte om direct nadat is vastgesteld dat iemand is overleden het stoffelijk overschot af te leggen. Bij zojuist overleden mensen zijn de ogen half geopend en staat de mond een stukje open. Soms is het lichaam vertrokken en verkrampt. Vrijwel algemeen vindt de omgeving van de dode dat dit niet past. Een overledene dient er liefst niet als dode uit te zien. Niet alleen in onze westerse cultuur wordt aan de dood gedacht als aan een lange, diepe slaap, overal elders in de wereld denkt men er precies zo over. Het idee dat de dood iets definitiefs is, een onverbiddelijke grens zonder terugkeer als een rivier met een veerpontje dat maar één kant op vaart zoals de Grieken zo prachtig verbeeldden, dat is zó moeilijk te begrijpen voor de levenden dat men, overal ter wereld, een hoge mentale schutting tussen ons en de kale dood heeft geplaatst. Onze overleden dierbaren mogen in eerste instantie niet definitief nooit meer bereikbaar zijn. Dat kán gewoon niet. Vandaar dat het lichaam van de overledene wordt verschoond en keurig verzorgd voordat de lijkstijfheid intreedt, en worden de ledematen zo geplaatst dat het lijkt alsof de overledene slaapt. Deze handeling van het afleggen is een vrijwel universele gewoonte die u in allerlei vormen en verscholen in allerlei rituelen overal op de wereld kunt aantreffen. Meestal blijft het lichaam een paar uren tot dagen opgebaard om de naaste verwanten, familie en relaties gelegenheid te geven afscheid te nemen.

In de wereld van de islam vindt na het overlijden een rituele wassing plaats. In het islamitische uitvaartcentrum is hiervoor een speciale ruimte ingericht. De rituele wassing kan ook thuis door familieleden worden verricht. Het lichaam wordt drie keer gewassen met water waaraan geurige stoffen zijn toegevoegd.

'Verzorging' van de overledenen kan ook radicaal anders, maar dan meestal onder gewelddadige omstandigheden of in delen van de wereld waarin haat, onverschilligheid en angst de baas zijn en waar menselijkheid nauwelijks meer meetelt. Wie voelt zich niet ernstig geschokt als door wat voor omstandigheid dan ook een lijk gewoon op straat blijft liggen zonder dat iemand er zich om bekommert? Zelfs onder oorlogsomstandigheden laat men de lichamen van gesneuvelde soldaten en burgers niet onverzorgd op het slagveld liggen. Het als oud vuil tot ontbinding laten overgaan van verslagen en gedode tegenstanders werd misschien in de barre Middeleeuwen passend gevonden, tegenwoordig wordt zulk gedrag beschouwd als buitensporig grof en een zeer ernstige misdaad tegen de menselijke waardigheid en de mensenrechten. Denk overigens niet dat deze toestanden tegenwoordig niet meer bestaan. Het gebeurt, zelfs in ons eigen beschaafde Europa, niet ver van ons bed zelfs. De taferelen in Bosnië, waar de lijken van omgebrachte burgers soms maandenlang op de berghellingen gewoon bleven liggen rotten, hebben zich op mijn netvlies gebrand.

Enige tijd na de dood treedt onvermijdelijk lijkstijfheid in. Voordat deze intreedt wordt in de regel het stoffelijk overschot afgelegd. In vroeger eeuwen was het afleggen een taak van de buren, zeker op het platteland, maar tegenwoordig wordt het afleggen gedaan door een verpleegkundige. De oogleden en de mond worden gesloten, eventueel door een doek om het hoofd te binden; de handen worden over de borst gelegd, het lichaam gereinigd en een prop watten in de keelholte en in de endeldarm ingebracht om het weglekken van vloeistoffen uit de grote lichaamsopeningen te voorkomen. In de oudheid legde men muntjes op de ogen van de overledenen. Dit geld was nodig om de veerman Charon te betalen die de dode over de Styx naar de Elyseese velden of naar Hades bracht.

2.2 Lijkstijfheid (rigor mortis)

Tussen een tot vier uur nadat de dood is ingetreden, het lijk is dan nog enigszins warm, beginnen de spieren van het stoffelijk overschot te verstijven. Deze lijkstijfheid (*rigor mortis*) begint in de kleine spiertjes, bijvoorbeeld die in de huid en de vingers, en breidt zich daarna uit naar de grotere spieren. Na ongeveer zes tot acht uur is het lijk geheel verstijfd. Het proces van de verstijving is waarschijnlijk het gevolg van het begin van het afsterven van spiercellen. Op het moment dat de dood intreedt, stopt de bloedsomloop. Spieren kunnen op dit moment nog samentrekken indien ze elektrisch worden geprikkeld. Het spontaan en onwillekeurig samentrekken van spieren in het lichaam kort na de dood staat bekend als het stuiptrekken. Na de dood is de controle die het zenuwstelsel normaal over de spieren heeft niet meer aanwezig. Spiercellen die op een of andere manier geprikkeld worden, bijvoorbeeld chemisch door plotseling lagere zuurstofspanning, kunnen in deze situatie overgaan tot spontaan samentrekken. U moet aan spiercellen denken als aan legereenheden die op een eiland zijn gedropt om daar een missie te volbrengen. Als er geen verbinding meer is met het hoofdkwartier handelen de legereenheden op eigen houtje totdat de noodrantsoenen op zijn, en daarna vallen ze uiteen. Omdat ze in feite nog stofwisseling hebben en ontvankelijk voor prikkels zijn maar niet meer onder controle staan van het zenuwstelsel, hebben spiercellen ieder voor zich de keuze om stilletjes alle zuurstof die er nog is op te maken voor de normale celstofwisseling of om energie te verspillen door samen te trekken. Als spiercellen alle zuurstof die nog in de buurt van de cellen voorradig was, naar zich toe hebben getrokken en verbruikt kan de stofwisseling nog steeds een tijdje doormodderen, maar nu onder anaerobe omstandigheden (zie hoofdstuk 1, de vergisting of zuurstofonafhankelijke stofwisseling van de cel). Van dit vergistingsproces is melkzuur het eindproduct. Melkzuur is precies hetzelfde product dat in uw spieren ontstaat als u zich hevig inspant en de spieren zo hard moeten werken dat de zuurstoftoevoer via het bloed de vraag niet bij kan benen. Onder invloed van melkzuurproductie 'verzuurt' het weefsel en krijgt een levend mens spierpijn of in ernstige gevallen kramp. In stofwisselingstermen houdt dit in dat in de spieren van een stoffelijk overschot de zuurgraad van het spierweefsel drastisch vermindert, met als gevolg dat onder deze bijzondere omstandigheden eiwitten in de spiercellen beginnen neer te slaan. Twee spiereiwitten zorgen onder normale omstandigheden ervoor dat spieren kunnen samentrekken: actine en myosine. In elke gezonde spiervezel schuiven bij samentrekken miljoenen actine- en myosinestrengetjes als microscopische harmonicaatjes in elkaar. Het tenietdoen van deze harmonicawerking maakt dat de spier stijf wordt.

Na twee tot drie dagen verdwijnt de lijkstijfheid van de spieren in omgekeerde volgorde waarin ze begon en voelt het lijk week en koud aan. Het samentrekken tijdens het begin van de rigor mortis van de kleine spiertjes in de huid die aan de haarwortels hechten veroorzaakt het kippenvelachtige aanzicht dat de huid van een stoffelijk overschot na een paar uur heeft. Samen met het snel uitdrogen van de huid van de overledene is dit verschijnsel waarschijnlijk de oorzaak van het hardnekkige volksgeloof dat haren na de dood nog een paar dagen doorgroeien. In werkelijkheid stopt haar-, baard- en nagelgroei vrijwel onmiddellijk na de dood.

2.3 Lijkvlekken en afkoeling

Onmiddellijk na het overlijden krijgt de zwaartekracht zichtbaar vat op het bloed dat zich in de bloedvaten bevindt. Natuurlijk trekt de zwaartekracht aan alles wat zich in ons lichaam bevindt, inclusief het bloed en is ze medeverantwoordelijk voor een reeks uiteenlopende kwalen van de bloedsomloop zoals flauwvallen en het ontstaan van spataderen. Zodra het hart stopt met het rondpompen van bloed begint het effect van de zwaartekracht zichtbaar te worden.

In de gezonde mens zorgt een zeer uitgekiend meet- en regelsysteem in de hersenen ervoor dat de bloeddruk overal in het lichaam voortdurend zo goed mogelijk constant wordt gehouden. Het gaat wel eens mis, bijvoorbeeld als u enige tijd gehurkt hebt gezeten en u staat plotseling op. In dat geval kan bloed niet snel genoeg naar de hersenen worden gepompt, en er verschijnen zwarte vlekken voor de ogen of u valt flauw. Moet u de hele dag staan, dan hebt u een grotere kans dat u spataderen ontwikkelt dan wanneer u een zittend beroep uitoefent, want uw bloed heeft onder invloed van de zwaartekracht voortdurend de neiging zich op te hopen in de aderen van uw benen. De bloeddruk wordt geregistreerd door een klein orgaantje dat in de hals tegen de halsslagader aan ligt. Dit orgaantje is via een hersenzenuw verbonden met de hersenen. Vanuit centra in de hersenen die de bloeddruk reguleren komen fijne zenuwvezeltjes mee met sommige hersenzenuwen en met de ruggenmergzenuwen om zo alle slagaders en slagadertjes in ons lichaam te bereiken. De wanden van deze bloedvaten, groot en klein, zijn uitgerust met een laagje gladde spiervezels die kunnen samentrekken. Als ze samentrekken treedt een tweetrapseffect op: de bloedvaten vernauwen en hierdoor verhoogt de bloeddruk. Aderen bezitten geen spierlaagje in hun wand, maar zijn hier en daar uitgerust met kleppen die het bloed maar één kant op laten stromen, namelijk in de richting van het hart.

Ook het hart speelt een rol bij het regelen van de bloeddruk. Het bezit een eigen pacemaker en het bepaalt zelf hoe vaak per minuut het samentrekt. De hersenen zijn met twee soorten zenuwen met het hart verbonden, die als de teugels van een paard, het hartritme kunnen versnellen of vertragen. De versnellende zenuwen noemt men de *orthosympatische* zenuwen en de vertragende zenuwen heten de *parasympatische* zenuwen. Zowel de orthosympatische als de parasympatische zenuwen worden gerekend tot het vegetatieve ofwel het onwillekeurige zenuwstelsel. Het hartritme heeft effect op de bloeddruk: een hoger hartritme heeft in principe een verhoging van de bloeddruk tot gevolg; bij een lager hartritme daalt de bloeddruk. Na het overlijden valt het hele complexe systeem van bloeddrukregulatie door de gladde spiervezels in de wanden van de bloedvaten weg, en bovendien stopt de hartfunctie die de druk op de ketel houdt en het bloed laat stromen. Na het overlijden verwordt het bloedvaatstelsel in zeer snel tempo van een prachtig en uitgekiend geregeld systeem voor transport van zuurstof, voedingsstoffen, warmte, hormonen et cetera tot een systeem van slappe buizen gevuld met zuurstofarm bloed. Op dit moment krijgt de zwaartekracht de overhand. De bloedstolling is bij een dode niet zo rechtlijnig als bij een levende persoon. Het bloed kan wel stollen, maar als er geen verwonding is, is er voor de bloedcellen geen aanleiding of prikkel om te stollen. Mocht het wél stollen, dan lost na verloop van tijd een enzym het fibrine van het gestolde bloed weer op en wordt de inhoud van de bloedvaten weer vloeibaar. Het gevolg is dat bloed in het dode lichaam heel lang vloeibaar blijft, lang genoeg om het onder invloed van de zwaartekracht door het systeem van slappe buizen naar het laagste punt te laten sijpelen. Als gevolg van dit natuurkundige proces wordt het gedeelte van het lijk dat naar boven is gekeerd, in de regel dus het gelaat en de ogen, de handen, borst, buik en voorzijde van de benen, bleek van kleur doordat het bloed er uit wegtrekt. Dit bloed verplaatst zich en hoopt zich op in de laagst gelegen delen van het stoffelijk overschot, meestal dus de huid van het achterhoofd, schouders, rug en achterzijde van de benen. Op sommige plekken verzamelt zich meer bloed dan op andere plekken. Dit bloed is zuurstofarm omdat na het overlijden alle zuurstof is verbruikt door de weefsels en cellen van het lichaam die aan het afsterven zijn. Het gevolg van het ophopen van het zuurstofarme bloed zijn de zogenaamde lijkplekken: grote donkerrode tot blauwpaarse of violette plekken aan de rugzijde van het lichaam. De eerste uren na het ontstaan van lijkvlekken kan men het bloed nog wegmasseren. Vierentwintig uur na het overlijden kan dat niet meer en worden de lijkvlekken permanent. Daar waar het lichaam rust op het bed of de ondergrond hoopt zich geen bloed op en blijft de huid licht van kleur.

Na het overlijden produceren de organen en de spieren geen warmte meer en begint het lijk af te koelen. Dit proces duurt enige tijd, net zoals een warmwaterkruik er een nacht over doet om zijn warmte volledig aan het bed af te staan. De snelheid van afkoeling van een lijk ligt ergens tussen een halve graad en één graad per uur. Om u een indruk te geven: tussen acht en 36 uur is een stoffelijk overschot afgekoeld tot de omgevingstemperatuur. Dit hangt natuurlijk helemaal af hoe hoog of hoe laag de omgevingstemperatuur is en of de overledene dik ingepakt is met kleding of dekens, of juist geheel niet is bedekt. Wat ook meetelt is het gewicht: hoe gezetter de persoon hoe langer het duurt voordat het lichaam volledig is afgekoeld. Het onderhuidse lichaamsvet fungeert namelijk als warmteisolatiedeken. De lichaamstemperatuur van de overledene wordt door de arts of verpleegkundige overigens rectaal of in de gehoorgang gemeten.

2.4 Tijdstip van overlijden vaststellen onder niet-normale omstandigheden

Het is een bekend berichtje in de krant: man of vrouw ligt enige dagen dood thuis in bed voordat het lichaam bij toeval of door toedoen van ongeruste buren of verwanten wordt gevonden. Omdat moet worden vastgesteld of de persoon op een natuurlijke of op een niet-natuurlijke manier is overleden komt er altijd een gemeentelijke lijkschouwer aan te pas. Deze arts moet een schatting maken wanneer de persoon is overleden en wat de waarschijnlijke doodsoorzaak is geweest. Als de politie denkt dat er een misdrijf in het spel is komt er een gerechtsgeneeskundige aan te pas, een forensisch patholoog-anatoom uit Rijswijk.

De mate van afkoeling, de mate van lijkstijfheid en het voorkomen en de omvang van lijkvlekken worden door de gerechtelijke lijkschouwer gebruikt om een schatting te maken hoe lang geleden het slachtoffer is overleden. In misdaadfilms ziet het er allemaal zo eenvoudig uit. Het standaard-filmscenario is als volgt. De dokter en de inspecteur van politie lopen de trap af naar de kelder en treden het mortuarium binnen. De baar met het lichaam van de vermoorde persoon wordt uit de koelkast getrokken. De dokter tilt het laken op, kijkt even, en zegt terloops, zonder de moeite te nemen het lichaam aan te raken, iets als 'deze persoon is vijf uur geleden overleden want het lichaam is koud en er zijn lijkvlekken en er is lijkstijfheid in de armspieren'. Einde scène. In werkelijkheid liggen de zaken wat ingewikkelder. Afkoelen van het lichaam duurt enige uren, maar de snelheid van afkoelen is sterk afhankelijk van de omgeving, zeker als het gaat om de lichamen van vermoorde personen: is iemand te water geraakt of in het water gegooid, dan koelt het lichaam veel sneller af dan wanneer een lichaam in een beschutte omgeving heeft gelegen en goed tegen kou is beschermd. Onder normale omstandigheden duurt het ongeveer een dag totdat de temperatuur van het stoffelijk overschot is gedaald van lichaamstemperatuur (37 graden Celsius) naar de omgevingstemperatuur. Met behulp van de combinatie rigor mortis en lichaamstemperatuur kan een redelijk betrouwbare schatting worden gemaakt van op normale wijze overleden personen. Als het stoffelijk overschot nog warm is en het lichaam slap en bleek, dan is er niet meer dan drie uur verstreken. Na drie uur is het lichaam nog aantoonbaar warmer dan de omgeving, maar wel treedt de lijkstijfheid al in en beginnen de eerste lijkvlekken zich te vormen. Na ongeveer zes uur is de rigor mortis compleet, zijn er grote lijkvlekken te zien en is het lichaam nog steeds enigszins warm. Na 36 uur is het stoffelijk overschot koud, maar begint de lijkstijfheid al af te nemen. Als een lichaam wordt gevonden dat koud en slap is zijn er meer dan 36 uren verstreken. Tegen die tijd hangt er een merkbare lijklucht rondom de plek des onheils.

2.5 Ontbinding

De wetgever is heel duidelijk over wat er met een stoffelijk overschot dient te gebeuren. In paragraaf 3 artikel 16 van de Wet op de Lijkbezorging staat: 'Begraving of verbranding geschiedt niet eerder dan 36 uren na het overlijden en uiterlijk op de vijfde dag na die van het overlijden'. De 36 uur is bedoeld om vast te stellen dat de persoon in kwestie echt dood is en niet schijndood. De vijf dagen is gekozen omdat in ons klimaat stoffelijk overschotten na die termijn merkbaar tot ontbinding overgaan.

Wat is ontbinding precies en hoe gaat het in zijn werk? Ontbinding is het vergaan van het stoffelijk overschot tot natuurlijke bestanddelen. Dit proces kan in de cellen van het lichaam zelf plaats vinden of het kan van buiten de cellen komen of er kunnen processen buiten het lichaam een rol spelen.

Autolyse
In de eerste plaats begint ontbinding in de cellen zelf van het dode lichaam. Men spreekt hierbij van 'autolyse' of 'autodestructie', letterlijk 'het zichzelf vernietigen'. Goed bekeken zijn onze lichaamscellen stuk voor stuk prachtige chemische minifabriekjes met buitengewoon ingewikkelde stofwisselingsmechanismen waardoor niet alleen voortdurend stoffen worden opgebouwd maar ook stoffen worden afgebro-

ken. Het is algemeen bekend dat witte bloedlichaampjes gespecialiseerd zijn in het verzwelgen, doden en daarna afbreken van bacteriën. Witte bloedlichaampjes zijn spectaculaire cellen die desnoods indringers die groter zijn dan zijzelf te lijf gaan, maar in feite bezit elke andere cel in ons lichaam ook de afbraakenzymen die nodig zijn om niet meer benodigde eiwitten af te breken voor recycling of om ze in stukjes te knippen zodat ze kunnen worden uitgestoten. Deze enzymen kunnen vrij agressief zijn en daarom zitten ze in de gezonde cel altijd keurig opgeborgen in een klein zakje dat is omgeven door een membraan, het *lysosoom*. Cellen bezitten meestal meerdere lysosomen. Als het membraan dat het lysosoom omgeeft stuk gaat, komen de agressieve afbraakenzymen vrij in het inwendige van de cel en breken alles af wat op hun weg komt. Geen cel die zo'n aanval van zelfdestructie overleeft. Er zijn cellen waar heel veel en heel grote lysosomen in voorkomen, namelijk de kliercellen in de wand van ons spijsverteringskanaal en met name in de klieren die sappen afscheiden voor de spijsvertering, bijvoorbeeld de alvleesklier. Na de dood treedt zuurstofgebrek op en onder invloed hiervan en van de dalende zuurgraad, beginnen celmembranen in het algemeen en die van de lysosomen in het bijzonder uit elkaar te vallen. De inhoud van de lysosomen verspreidt zich in de lichaamscellen en hiermee start het onomkeerbare proces van destructie van binnen uit. Het is al heel lang bekend dat enzymactiviteit sterk afhankelijk is van de omgevingstemperatuur. Dit is een van de redenen dat men een stoffelijk overschot graag koel bewaart: men vertraagt er de autolyse van de inwendige organen aanzienlijk mee.

Vertering door micro-organismen
Geloof het of niet, maar bij leven en welzijn zijn wij allemaal minidieren- en plantentuintjes waarvan de bevolking uit honderden verschillende soorten micro-organismen bestaat. In de wetenschap van de microbiologie wordt ons lichaam betiteld als de 'gastheer'. Onder de micro-organismen waarvan wij de gastheer zijn bevinden zich de goedaardige bacterie *Escherichia coli* die in onze ingewanden leeft, en de levensgevaarlijke *Pneumococcus meningitis* die in onze keelholte kan verblijven en die, indien doorgedrongen tot de hersenen, hersenvliesontsteking veroorzaakt die de dood tot gevolg kan hebben (de gevreesde 'nekkramp'-bacterie). Zo lang wij gezond zijn, bezit ons lichaam

krachtige afweermechanismen die ervoor zorgen dat de micro-organismen in ons lichaam binnen de perken worden gehouden. Bij ziekte wordt deze afweer zwakker, en u begrijpt dat het afweersysteem van het lichaam op het moment van overlijden niet in topvorm is. Het griezelige en geniepige is dat micro-organismen het als het ware in de gaten hebben dat het overlijden aanstaande is. Ze vermenigvuldigen zich omdat de afweer zwak is, en op sommige plaatsen wordt de afweerbarrière tussen de plek waar zich ophopingen van micro-organismen bevinden en de bloedbaan door de opdringerige micro-organismen al geslecht vóórdat de gastheer definitief is overleden. Een bekende plek waar dit gebeurt is het darmslijmvlies. Een voorhoede van de bacteriënpopulaties in het spijsverteringskanaal baant zich een weg door de slijmvliezen in de wand van de dunne en dikke darm, komt in de bloedbaan terecht en trekt via de grote poortader de lever binnen. Deze bacteriën maken dus al voor het overlijden een begin met de afbraak van de buikorganen, met name de dunne en dikke darm, maag en lever. Ze zetten deze afbraak verhevigd in zodra na het overlijden alle afweer tot stilstand is gekomen. Afbraak van de lever en met name de galgangen en de galblaas kan al na 72 uur een grauwgroene verkleuring van de buikwand ter hoogte van de lever veroorzaken.

Vertering door dieren en insecten

Volgens het volksgeloof worden lijken die aan de aarde worden toevertrouwd verteerd door de wormen. Vroeger gebeurde dit misschien wel, en het kan u overkomen als u ergens in de wildernis aan uw eind komt, maar het gebeurt niet op een moderne begraafplaats. Daar is het echt *do it yourself*, dat wil zeggen dat het lichaam voor het grootste gedeelte vanuit zichzelf verteert door autolyse. De opvatting over de wormen is niet helemaal meer van deze tijd. Wormen bewonen namelijk de bovenste aardkorst niet dieper dan 50 centimeter onder het maaiveld, dat wil zeggen ruim boven de diepte waarop wij wettelijk verplicht zijn onze doden te begraven. De begerige wormen kunnen gewoon niet bij hun lekkere hapje komen! Ook het idee dat mollen aan de vertering van lijken te pas zouden komen, zoals al in het beroemde rederijkersgedicht *Vander Mollen Feeste* (Anthonis de Roovere, 1430-1482) wordt gesuggereerd, is onjuist. Mollen zijn insectenvangers die vlak onder het aardoppervlakte leven, en ze staan niet bekend als aaseters.

Het betere opruimwerk wordt vooral door insecten gedaan. In feite zijn de betonnen grafkelders van de moderne begraafplaatsen een belemmering die grote aaseters weinig kans geven; de vertering van lichamen wordt hier vooral door autolyse verzorgd, met assistentie van bacteriën en insecten uit de omgeving.

Alles is natuurlijk anders in situaties waarbij het lichaam om welke reden dan ook niet wordt begraven. Indien u het ongeluk hebt om tijdens uw vakantie in de kaken van een krokodil of een haai terecht te komen, bent u voor deze dieren een smakelijke prooi en wordt uw lichaam in kleine stukjes gescheurd en verwerkt in het spijsverteringskanaal van de gastheer. Minder spectaculair maar niet minder effectief zijn kleine schaaldieren zoals garnalen en andere kleine waterdieren die met name drenkelingen in een rap tempo kunnen verorberen. Lijken die gewoon op de grond aan hun lot worden overgelaten (bijvoorbeeld de avonturier die op trektocht in de woestijn sterft aan de steek van een schorpioen of de beet van een gifslang), worden in snel tempo door aaseters en aasvogels opgepeuzeld. Het maagsap van hyena's is bijvoorbeeld zo vreselijk zuur dat zelfs keihard botweefsel er in wordt verteerd. Bovendien hebben hyena's de reputatie dat ze weinig kieskeurig zijn wat betreft hun voedsel. Mochten er geen grote vleesetende zoogdieren of aasvogels in de buurt zijn of om een of andere reden niet bij het lijk kunnen komen, dan komen onmiddellijk legers insecten op het lichaam af.

Hier is niets griezeligs aan. Mieren, kevers en vooral aasvliegen zijn de opruimers van alle dieren die in de natuur dood gaan. Vliegen leggen eitjes op die plekken, bijvoorbeeld in open wonden of rondom lichaamsopeningen, waar te verwachten is dat spoedig een rijke voedselbron voor de larfjes aanwezig zal zijn. De meest bekende vlieg is de aasvlieg, *Calliphora erythrocephala* die in hoog tempo grote pakketjes eitjes op het aas afzet. De larven (maden) scheiden speeksel af die de huid zachter maakt en oplost waarna de diertjes zich massaal een weg naar binnen banen om hun buikje rond te peuzelen aan het overvloedige voedsel. Aaseters zijn erg effectief. Nog niet zo lang geleden, in de tijd dat het biologieonderwijs op middelbare scholen en onderwijs aan medische studenten op universiteiten nog werd gegeven aan de hand van echte skeletten en echte schedels, bestond de techniek om bijvoorbeeld een schedel te vervaardigen hieruit dat men eerst de hoofdhuid verwijderde en alle weke weefsels van de schedel zo goed mogelijk wegnam, inclusief de hersenen. Hierna werd de schedel in een grote glazen bak gelegd met een laagje aarde en een kolonie lijkkevers (*Silpha americanus*) of in een groot bekerglas gevuld met water waaraan een theelepeltje trypsine werd toegevoegd (trypsine is een spijsverteringsenzym). Het geheel werd een tijdje in een goed geventileerde ruimte bij de juiste temperatuur aan zijn lot overgelaten. Nadat de aaseters of de trypsine hun nuttige werk hadden gedaan bleef alleen de schedel over. De kunst van het skelet- of schedelmaken zat hem hierin dat sommige bindweefsels, namelijk de vliezen en banden die de schedelbeenderen en de kleine botjes bij elkaar houden, intact moesten blijven.

De menselijke schedel is een driedimensionele puzzel van pakweg 21 beenderen plus de gehoorbeentjes (die diep in het rotsbeen zitten en er niet uit kunnen vallen). Stelt u zich voor dat een professor in de anatomie u een tubetje lijm plus een handvol schedelbeenderen overhandigt waarmee u een complete schedel in elkaar moet puzzelen. Ik geef het u te doen.

Als de natuur zijn gang kan gaan blijven uiteindelijk alleen de hardste delen van het skelet over: de onderkaak en het rotsbeen van de schedel. Dit zijn de fossiele fragmenten van onze verre, verre voorouders die met enige regelmaat door paleontologen worden teruggevonden in oeroude gesteentelagen.

In de Middeleeuwen, toen de lichamen van overledenen nog niet in een kist werden begraven maar in lijkdoeken werden gewikkeld en zo ter aarde werden besteld, en zeker in tijden dat lichamen ondiep werden begraven, werden stoffelijk overschotten nog wel eens aangevreten door gravende dieren van een niet al te kieskeurige aard zoals ratten. Houten lijkkisten kwamen pas in zwang in de achttiende eeuw, en hiermee werd de taak van het verteren van het lijk bijna geheel bij het lichaam zelf en bij micro-organismen en kleine insecten gelegd. Tot ver in de twintigste eeuw was het bij de Aboriginals van Australië nog gewoonte om de lichamen van overledenen in bladeren van de paperbark-boom te wikkelen en daarna op een stevige tak in een hoge boom te plaatsen. Pas als een tijdje later bij inspectie bleek dat er alleen nog beenderen over waren, werden deze in een door termieten uitgeholde boomstam gelegd en vervolgens ondiep begraven.

Verregaande autolyse

Zijn voor de begrafenis de ontbindingsprocessen aan een aarzelende start begonnen, enigszins geremd door de koelinstallatie van de begrafenisondernemer, na de begrafenis komt de ontbinding in volle gang. De vaart gaat er zo in dat na ongeveer een jaar de weke weefsels helemaal verteerd zijn en er slechts een kaal skelet over is. Voorzover geen kunststoffen zijn gebruikt, is ook de spaanplaten kist uit elkaar gevallen. In het hele proces van de lijkvertering wordt een aantal fasen onderscheiden.

De vertering zet het eerst en het hevigst in de ingewanden in. Dat deze organen het eerst aan de beurt zijn is heel goed te begrijpen. De cellen in deze organen zitten boordevol lysosomen. Bovendien is ons lichaam bij leven en welzijn van binnen steriel, behalve de ingewanden. In de neus- en mondholte, slokdarm, maag, dunne en dikke darm en endeldarm leven alle mogelijke micro-organismen. Onder normale omstandigheden is dit voor ons lichaam geen enkel probleem en worden deze micro-organismen in toom gehouden. Hoewel het nut van de meeste mee-eters niet is aangetoond, kent het dierenrijk talrijke voorbeelden van symbiose waarbij micro-organismen nuttige diensten verrichten voor hun gastheer in ruil voor bescherming en een optimaal leefmilieu. Wat dacht u bijvoorbeeld van de bacteriën in de pens van de koe die hard meehelpen het voor ons onverteerbare cellulose, het hoofdbestanddeel van gras, af te breken?

De ontbinding begint dus met de buikingewanden. Wat betreft de buitenkant van het lijk is de vochtigheidsgraad van de omgeving heel belangrijk. Bij te veel vocht (bijvoorbeeld als het stoffelijk overschot in het grondwater ligt) vertraagt de vertering van het lijk en kan het zelfs tot stilstand komen zoals het geval is geweest met de veenlijken. Is de omgeving te droog dan mummificeert het lijk, zoals gebeurd is met de overblijfselen van heiligen die in de Middeleeuwen in diverse Italiaanse kerken in een altaar werden gemetseld, en met lijken die zijn gevonden in de oude grafkelder van de kerk van Wieuwerd (Friesland). De weefsels van de darm en de buikorganen lossen snel op door de combinatie van afbraak door autolyse en bacteriewerking. Omdat al deze processen onder zuurstofarme omstandigheden plaatsvinden treedt veel vergisting op, met als gevolg gasontwikkeling. Een ontbindend lijk stinkt door de gassen die bij deze verteringsprocessen vrijkomen: methaan, sporen van zwavelkoolstof, ingewikkelde zwavelverbindingen, et cetera. Ooit is uit de mond van de Franse koning Charles IX de macabere uitspraak opgetekend 'het lijk van een gedode vijand ruikt altijd prima', maar deze koning was kennelijk een uitzondering. De geur van een slagveld waar een paar dagen geleden een grote slag was gestreden wordt door de meeste geschiedschrijvers niet bepaald als aangenaam beschreven.

Onder invloed van autolyse en de werking van micro-organismen wordt in de buikholte organisch gas gevormd. Door de gasontwikkeling zwelt de buik van het lijk op. Bij verdrinking zinkt het slachtoffer eerst door het gewicht van het lichaam en de met water volgelopen longen naar de diepte. Pas een tijdje later wordt door de gasontwikkeling het soortelijk gewicht van het lijk lager dan dat van het water en komt de drenkeling weer boven drijven. Er kan zelfs zoveel gas worden gevormd dat de buik openbarst. Dit verschijnsel deed zich voor in het bijzijn van een wakkere tv-cameraploeg met het kadaver van een potvis die was aangespoeld op een van onze stranden. Een wetenschapper wilde een monster nemen van de onderhuidse vetlaag en stak een mes in het buikgedeelte van het dode zoogdier. Dat had hij beter niet kunnen doen, want een mengsel van gas en ingewanden brak explosief door de buikhuid heen naar buiten.

Tegelijk met de gasontwikkeling verkleurt de huid van het lijk blauwachtig en laat de opperhuid door autolyse los van het onderhuidse bindweefsel als een serie steeds groter wordende blaren (flyctenen). Door de afbraak van weefsels wordt gedurende het hele ontbindingsproces een grote hoeveelheid vocht geproduceerd. Het water dat een zeer groot gedeelte uitmaakt van ons lichaam (70%), moet immers bij de ontbinding vrijkomen en terugkeren naar de elementen. Misschien had de titel van dit boek hierom beter 'Water zijt gij en tot water zult gij wederkeren' kunnen zijn. Op een gegeven moment wordt de buikwand doorbroken en loopt vocht uit het lijk naar buiten. De buik valt hierna in. Ook de longen verteren snel van binnen uit, maar de stevige borstkas eromheen zorgt ervoor dat dit gedeelte van het lichaam niet meteen vervormt. In het hoofd zijn het de zachte delen zoals de mondholte en de tong die snel ontbinden waardoor al snel de kaken zichtbaar worden. Ogen bestaan voor een groot deel uit de harde en stugge oogrok waardoor het iets langer duurt voordat de ogen volledig zijn verteerd. Tegelijk met het ontbinden van de ogen worden de spieren afgebroken en de geslachtsorganen. De moeilijkst afbreekbare weefsels van het lichaam zijn de beenderen en het vetweefsel. Beenderen bevatten veel mineralen en van nature vrij veel vet en dit maakt ze waarschijnlijk slecht afbreekbaar. In ieder geval is het zo dat onder normale omstandigheden de zachte weefsels van het lichaam binnen een jaar volledig zijn ontbonden waarbij alleen harde en mineraalrijke delen van het skelet zijn overgebleven. De vertering van de overgebleven beenderen neemt nog een aantal jaren in beslag. Tanden zijn ook mineraalrijk en bekleed met keihard email en blijven dus lang intact. Het is geen wonder dat archeologen en paleontologen vooral tanden en stukjes schedel van onze voorvaderen hebben gevonden en maar weinig complete skeletten.

Vertering van vetweefsel kan onder omstandigheden problemen opleveren. Zo'n probleem is het scheikundig proces dat men verzeping noemt. Onder omstandigheden waarbij niet genoeg zuurstof aanwezig is, zoals bij het begraven in een dichte leemgrond, treedt een speciaal soort verzepingsproces op waarbij lichaamsvet wordt omgezet in een gele, wasachtige substantie die slecht afbreekbaar is en die men ook wel deftig *adipocire* noemt.

2.6 De zalige Conrad en vele andere heiligen

Lijkstijfheid, lijkvlekken, lijkgeur en ontbinding zijn zaken die bij elk stoffelijk overschot aan de orde zijn. Het is dus buitengewoon bijzonder wanneer iemand overlijdt en er treedt géén rigor mortis op, het lichaam gaat niet tot ontbinding over en wordt hierdoor niet afstotend onsmakelijk. Volgens de legende was dit het geval met de zalige Conrad van Ascoli (1234-1289). Conrad was een missionaris die in Libië veel zieltjes voor de kerk won en er naar verluidt ook veel wonderen verrichtte. Zijn jeugdvriend en stadsgenoot Girolamo die in 1289 tot paus (Nicolaas IV) was gekozen riep hem terug naar Rome om hem tot kardinaal te benoemen. De brave Conrad dacht twee vliegen in één klap te slaan en reisde via zijn geboortestad Ascoli zodat hij op weg naar de nieuwbakken paus ook zijn familie de hand kon schudden. Verder dan Ascoli kwam hij helaas niet, want hij overleed er. De bewoners van Ascoli waren zo geroerd dat ze het lichaam van hun overleden stadsgenoot in een fraaie tombe plaatsten. In 1371 werd een nieuwe kerk gebouwd en besloot de gemeente om het stoffelijk overschot van de inmiddels beroemde heilige plaatsgenoot hier naar over te brengen. Groot was de verbazing toen bleek dat het stoffelijk overschot er nog voortreffelijk uitzag en een heerlijke geur verspreidde. Paus Pius VI verklaarde Conrad zalig en sindsdien staat er elk jaar op de kerkelijke kalender een feestdag voor de gelukkige Conrad.

2.7 Bijgeloof en vampiers

Waar en wanneer de vrees voor vampiers precies ontstond is gehuld in het grijs van het verleden. Het moet ergens in het zuidoosten van Europa begonnen zijn. Hier leefde tussen 1430 en 1477 in Transsylvanië een edelman met de naam Prins Vlad III Tepes. Heer Vlad (in deze oostelijke streken schrijft men eerst de achternaam en daarna komt pas de voornaam) zou nooit zoveel bekendheid hebben gekregen als er niet twee dingen gebeurd waren. In de eerste plaats genoot heer Vlad al in zijn tijd de ongelukkige reputatie dat hij een van de meest barbaarse heersers westelijk van de Oeral was. Zijn vader, die zichzelf de naam 'Dracul' (draak) had gegeven, was in 1447 door de Turken in gevangenschap onthoofd of op een andere manier aan zijn eind geholpen. Zoon Vlad stond bekend om zijn ongelooflijke wreedheid. Op een kwade dag nodigde hij een schare bedelaars en oude en zieke onderdanen voor een groot feest in zijn kasteel uit. Eenmaal aan de feestdis vroeg Vlad of zijn gasten het naar de zin hadden en of ze niet altijd zo heerlijk en onbezorgd wilden leven. Alle aanwezigen antwoordden zonder aarzelen 'ja'. Vlad liet hierop alle deuren afsluiten en dichtspijkeren en stak daarna het kasteel in brand. Niemand van de genodigden ontkwam. Toen men Vlad vroeg waarom hij deze daad had gepleegd zei hij: 'Ik kan het niet aanzien dat ook maar iemand van mijn onderdanen armoe lijdt of ernstig ziek is'. Op andere kwade dagen liet hij voor het minste of geringste vergrijp onderdanen aan een spiets rijgen. Toen de Sultan van Turkije in 1462 het koninkrijk van Vlad binnenviel om hem een lesje te leren liet Vlad 20.000 palen rondom zijn hoofdstad neerzetten en op elke paal een Turkse gevangene spietsen. De Sultan was geen kinderachtig figuur, maar dit gruwelijke schouwspel was hem toch te machtig. Hij trok zich terug. Zelfs vrouwen en kinderen waren door Vlad op de spiets gezet. Al snel kreeg Vlad van het volk de bijnaam 'de Spietser' (Tepes). Vlad zelf was iets bescheidener en noemde zichzelf Dracul, naar zijn vader. Op het wapenschild van heer Vlad prijkte een fraaie draak in gevecht met een eenhoorn. Het kasteel Bran, dat toegeschreven wordt aan Vlad, kan nog steeds worden bezichtigd in de buurt van de stad Brasov in het tegenwoordige Roemenië. Vlad Tepes kan hier nooit echt gewoond hebben want het kasteel is te nieuw. Zijn échte geboortehuis bestaat daarentegen nog steeds, in het stadje Sighisoara.

De grootste stap in de carrière van heer Vlad was zijn posthume herontdekking door de Ierse schrijver Abraham Stoker (1847-1912). Bram schreef het boek *Dracula* (1897) dat een sensatie teweeg bracht in beschaafd Europa. Het boek verscheen in het tijdperk van de Gothische Romantiek en het beschreef vampiers. Ondanks het gegeven dat Vlad bij leven en welzijn nooit is betrapt op vampirisme had hij door zijn bloeddorstige reputatie de twijfelachtige eer model te staan voor de 'ondode' hoofdpersoon in Stokers boek. *Dracula* werd een bestseller en vampiers promoveerden al gauw van bijgeloofstatus naar cultus. Sindsdien geniet de wereld van een onophoudelijke stroom van vampierverhalen, vampierfilms en -computerspelletjes. Het boek *Dracula* was de verre voorvader van de *X-files* en van *Buffy the vampire slayer*.

Wat is er zo griezelig aan een vampier? Verplaats uzelf naar het platteland van midden-Europa, pakweg het jaar 1600. De doorsneeplattelander is arm, ongeletterd en bijgelovig. Het is verontrustend en verdacht als iemand niet door ziekte of duidelijk ongeluk sterft, maar op een catastrofale manier dood gaat zonder dat er aan de buitenkant bloed aan te pas komt, bijvoorbeeld door wat wij kennen als hartstilstand of door een plotseling optredende massieve inwendige bloeding door een scheurtje in een zwakke plek in de lichaamsslagader. De onrust slaat om in verdenking en paniek als er zich niet veel later in de directe omgeving meer van zulke onverklaarbare sterfgevallen voordoen. De plattelander heeft er niet veel fantasie en maar een sprankje bijgeloof voor nodig om verband tussen deze sterfgevallen te leggen en het vermoeden rond te fluisteren dat de eerste overledene niet echt dood was, maar best wel eens een 'ondode' zou kunnen zijn, een vampier die 's nachts uit zijn graf komt en die zich in leven houdt met het bloed van de levenden. Inspectie van het graf van de verdachte overledene kan het vermoeden wellicht bevestigen dat hier een echte vampier huist. Een aantal dappere dorpelingen trekt, gewapend met schoppen, rieken en flessen sterke drank naar de begraafplaats om het lijk van de ongelukkige op te graven. Voordat er wordt gegraven neemt men eerst een fikse slok sterke drank om de moed er in te houden en de stank te trotseren. U weet inmiddels dat het openen van een graf van pakweg een maand oud de toekijkers op confronterende wijze laat kennismaken met het hoogtepunt van het ontbindingsproces. Door gasvorming is de buik van het lijk opgezwollen en lijkvocht gemengd met resten bloed druipt uit de lichaamsopeningen. Het gezwollen lijk geeft het idee dat het zich heeft rondgegeten. Het lijkvocht wordt gemakkelijk voor vers bloed aangezien, en zo is dus het onomstotelijke bewijs geleverd dat hier een vampier ligt. Natuurlijk heeft de vampier zich tegoed gedaan aan andermans bloed. Ook zijn vampiers overwegend mannen, en bij de ontbinding van een mannelijk lichaam kan gasvorming in de geslachtsdelen optreden, met name het scrotum en de penis kunnen gezwollen zijn. De bijgelovige en door alcohol licht bedwelmde plattelanders zien de gezwollen geslachtsdelen en trekken de conclusie dat de vampier seksueel zeer actief is. In dit stadium van ontbinding zijn verschillende delen van het lichaam nog goed te onderscheiden en zijn de ogen nog gedeeltelijk intact terwijl de oogleden al verdwenen zijn. De priemende oogjes laten het laatste spoortje twijfel verdwijnen: hier ligt een verschrikkelijke vampier, zo eentje die 's nachts de grafsteen omhoog drukt en in het donker wegsluipt op zoek naar het verrukkelijke bloed van onschuldige maagden. Nu kan men volgens het volksgeloof vampiers definitief en onverbiddelijk naar het dodenrijk sturen door een houten spies door hun borst te rammen, precies zoals Dracula dat gedaan zou hebben. Daarna moet het hart verwijderd worden en verbrand. U begrijpt dat het met een spies bewerken van een lijk dat bol staat van de gasvorming haast niet zonder ongelukken kan verlopen, net zoals dat gebeurde bij de dode potvis op het strand. Op de handeling volgt een mini-explosie en uitstoot van lijkvocht. Dit schouwspel zal menig dorpeling de stuipen op het lijf hebben gejaagd. Ook zullen de wegstromende gassen of het effect van de gasexplosie gemakkelijk de bijgelovige toeschouwer hebben doen denken dat de 'vampier' iets afschuwelijks wilde sissen. Na afloop ging men de schrik wegspoelen met een extra grote borrel in de plaatselijke herberg. En eentje toe als het toch nog gezellig werd. Tja, dan worden griezelverhalen vanzelf een pietsje aangedikt en zo voor het nageslacht bewaard.

2.8 Detectives van de dood

Niet altijd overlijdt iemand min of meer vredig in zijn of haar bed. In de statistieken in het vorige hoofdstuk heeft u gelezen dat er in ons land per jaar ongeveer 5000 mensen een niet-natuurlijke dood sterven zoals bijvoorbeeld dood door verstikking, vergiftiging, een geslaagde poging tot zelfdoding, et cetera. Er worden elk jaar door de politie in ons land ongeveer 200 moorden geregistreerd.

Als er iemand wordt gevonden die niet op het eerste gezicht een natuurlijke dood is gestorven, dan is de eerste taak van de arts die erbij wordt gehaald om lijkschouwing te verrichten en vast te stellen wie het slachtoffer precies is, wanneer het slachtoffer is overleden en wat de doodsoorzaak is geweest. De identificatie kan eenvoudig zijn als het slachtoffer voldoende papieren bij zich heeft waaruit kan worden opgemaakt wat de naam en het adres van het slachtoffer zijn. Bij een misdrijf daarentegen, of ook wanneer er een ernstig verbrand lijk wordt aangetroffen, kan het een stuk moeilijker zijn om te weten te komen met wie men te maken heeft. De officier van justitie beslist in zulke gevallen wat er vervolgens gedaan moet worden. In Nederland worden per jaar ruwweg honderd lichamen van mensen gevonden die door een niet-natuurlijke oorzaak zijn overleden en van wie niet precies bekend is om wie het gaat. Het stoffelijk overschot verkeert vaak in een zodanige staat dat alleen aan de hand van gebitskenmerken kan worden vastgesteld wie het slachtoffer was. Zoiets kan het geval zijn bij een ramp zoals de grote vliegtuigramp op Tenerife in 1977, de Bijlmerramp in 1992 waarbij een Boeing 747 op een flatgebouw terechtkwam en de vuurwerkramp in Enschede in 2000 waarbij een hele woonwijk in vlammen opging. In zulke uitzonderlijke gevallen komt het Rampen Identificatie Team (RIT) er aan te pas. Dit team bestaat onder andere uit enkele tandartsen. Deze worden ook wel 'forensisch odontologen' genoemd, ofwel gerechtstandartsen. De gerechtelijke tandarts is een specialist die het onderzoek doet dat uiteindelijk moet uitmonden in de identificatie van de stoffelijke resten. De tandarts kijkt bijvoorbeeld hoe precies de kaken van het ongeïdentificeerde slachtoffer sluiten, hoe de bovenste en onderste tandbogen in elkaar steken en hoe de boven- en ondertanden over elkaar heen schuiven, welke tanden er naar buiten of juist naar binnen steken, welke bruggen, vullingen, stifttanden of kronen er zijn, et cetera. Altijd worden er röntgenfoto's van de gebitselementen gemaakt. Er wordt een heel nauwkeurig rapport opgemaakt en daarna wordt discreet bij de behandelende tandarts van het mogelijke slachtoffer geïnformeerd naar de betreffende gebitsgegevens. Als die gegevens overeenstemmen met die van het slachtoffer, dan is het slachtoffer met zekerheid geïdentificeerd. Tegenwoordig wordt ook DNA-onderzoek gedaan aan de hand van materiaal van het slachtoffer en wordt de uitslag vergeleken met dat van DNA waarvan de eigenaar bekend is.

Ook het leger heeft een identificatieteam omdat nog steeds zo nu en dan bij toeval overblijfselen worden gevonden van militairen die in een van de Wereldoorlogen zijn gesneuveld. Op de slagvelden van Noord-Frankrijk waar zich tijdens de Eerste Wereldoorlog de meest waanzinnige slachtpartijen hebben voorgedaan met honderdduizenden gesneuvelden aan beide zijden, worden nog steeds bijna elke maand resten van omgekomen soldaten gevonden. Allereerst wordt geprobeerd vast te stellen tot welke strijdende partij de gesneuvelde behoorde. Dit is vrij gemakkelijk als er voorwerpen bij de resten worden gevonden zoals stukjes uniform, schoenen of laarzen, gespen, knopen, wapens of identificatieplaatjes. Omdat de slachtoffers al zo lang geleden zijn gesneuveld dat er meestal alleen nog beenderen worden gevonden, is de gerechtelijke tandarts de belangrijkste specialist van het team dat de identificatie probeert te verrichten. De stoffelijke resten van de militairen worden na identificatie op een van de grote Franse, Duitse, Engelse en Amerikaanse militaire begraafplaatsen ceremonieel ter aarde besteld, of ze worden gecremeerd. Ook in ons land worden nog regelmatig vliegtuigwrakken en zogenaamde veldgraven uit de Tweede Wereldoorlog gevonden. Een afdeling van de Koninklijke Landmacht, de Bergings- en Identificatiedienst (BID), wordt ingeschakeld als de vondst van een veldgraf wordt gemeld of als men vermoedt dat omgekomen bemanningsleden zich in het wrak bevinden van een neergestorte bommenwerper of jachtvliegtuig. De menselijke resten worden op een wetenschappelijk verantwoorde manier opgegraven en hierna wordt geprobeerd de naam, de rang en het legeronderdeel van de gesneuvelde te achterhalen. Als dit lukt, dan kunnen de resten eervol worden begraven en kan, en dat is heel belangrijk, de familie op de hoogte worden gesteld over de omstandigheden waaronder hun dierbare ooit gesneuveld is. De BID werkt om deze reden nauw samen met buitenlandse militaire organisaties zoals de Commonwealth War Graves Commission, de Deutsche Kriegsgräberfürsorge en de US Army Mortuary Affairs.

2.9 Sectie door de patholoog-anatoom

Niet alleen een officier van justitie kan om lijkschouwing verzoeken. Ook als iemand op een natuurlijke manier is overleden wil de behandelende arts of de familie soms wetenschappelijke zekerheid hebben over de precieze doodsoorzaak. Zeker als een patiënt plotseling is overleden twijfelen artsen wel eens of ze wel de juiste therapie hebben toegepast of dat ze de medisch correcte diagnose van de doodsoorzaak hebben vastgesteld. Wiegendood is hier een goed voorbeeld van. Artsen willen soms graag weten welke veranderingen er tijdens een terminale ziekte in het lichaam van een patiënt zijn opgetreden, bijvoorbeeld als er chemotherapie is toegepast om uitgezaaide tumoren te onderdrukken. De arts moet in deze gevallen een kijkje nemen in het lichaam van de dode om diens organen of het inwendige van organen in het kleinste detail te kunnen onderzoeken.

In dergelijke gevallen verricht een patholoog-anatoom sectie op het stoffelijk overschot. Andere woorden voor sectie zijn autopsie, doodschouw, lijkopening, lijkschouwing en obductie. De naaste familieleden van de overledene moeten toestemming voor sectie verlenen. Bij sectie wordt het lichaam kort na het overlijden geopend, en die organen die men graag wil inspecteren worden stuk voor stuk verwijderd, bekeken en geopend. Sectie is dus een grondig inwendig onderzoek toegespitst op verdachte organen van het verse lichaam via sneden die in het lichaam worden gemaakt. Dit is een ander proces dan het ontleden door de anatoom van de medische faculteit (zie hoofdstuk 4).

De anatoom en zijn studenten prepareren heel gedetailleerd en systematisch alle organen van gebalsemde lichamen van mensen, weefsel voor weefsel, met als doel de normale bouw van het menselijke lichaam te bestuderen. In tegenstelling tot een forensische patholooganatoom gaat de interesse van de 'gewone' patholoog-anatoom heel vaak uit naar maar één orgaan of weefsel, bijvoorbeeld naar het hart als er sprake is geweest van een hartinfarct, de longen in geval van het vermoeden van een speciale longtumor, of de hersenen als men op zoek is naar de oorzaak van een hersenbloeding. Indien nodig worden stukjes van de uitgenomen organen weggesneden, ingevroren of in paraffine ingebed en in uiterst dunne plakjes gesneden voor microscopisch, immunochemisch of microbiologisch onderzoek. Bij hersenobductie wordt de schedel geopend, de hersenvliezen opengeknipt en de hersenen voorzichtig verwijderd, verdachte stukjes weefsel losgesneden en in een potje met conserveringsmiddel gestopt voor nader onderzoek. Na afloop van het onderzoek wordt het lichaam gesloten en zodanig aan de begrafenisondernemer overgedragen dat er uiterlijk nauwelijks sporen te zien zijn van het inwendige onderzoek. Niet alle organen of weefsels die zijn uitgenomen worden voor het sluiten van het lichaam weer teruggeplaatst. Pathologieafdelingen van ziekenhuizen bezitten grote collecties diepgevroren en in paraffine ingebedde weefselfragmenten die ze via secties hebben verkregen. Deze weefselfragmenten worden jaren bewaard. Soms komt dit goed van pas bij wetenschappelijk onderzoek naar de oorsprong van bijvoorbeeld een besmettelijke ziekte. Zo is men door onderzoek van orgaanfragmenten uit pathologiecollecties ver in de tijd terug kunnen gaan in de speurtocht naar de oorspronkelijke drager van aids. Weefsels van lang geleden overleden mensen kunnen nogmaals worden onderzocht maar nu met sterk verbeterde of geheel nieuwe methoden (het zogenaamde retrospectieve onderzoek). Bij de technische recherche houdt men ook weefselmonsters in bewaring voor mogelijk toekomstig sporenonderzoek. Menige moord is op basis van retrospectief onderzoek van weefselfragmenten alsnog opgehelderd. Nabestaanden hadden meestal geen weet van deze gewoonte tot in 2000 in Engeland aan het licht kwam dat in een ziekenhuis in Liverpool een aantal foetussen zonder toestemming zouden zijn opgeslagen. Opschudding ontstond ook bij ons, tot in de Tweede Kamer toe, omdat toen bleek dat ook in ons land na sectie organen of weefsels van overledenen worden opgeslagen.

Het moet duidelijk zijn dat men er niet zomaar toe overgaat sectie te verrichten. Ook moeten de sectie-arts en zijn assistenten zichzelf goed beschermen als ze sectie verrichten. Het lichaam waarin men snijdt is nog niet tot ontbinding overgegaan zoals zo vaak het geval is bij de stoffelijke resten die de gerechtelijke patholoog-anatoom op zijn sectietafel krijgt. Er kan een gemene besmettelijke ziekte in het spel zijn, of de overledene kan gevaarlijke virussen onder de leden hebben zoals het hepatitisvirus of het aids-virus. Men gaat dus gekleed in een volledig afsluitend pak, gebruikt als het even kan een gelaatsmasker en draagt altijd rubberen handschoenen. Er is altijd voldoende ontsmettingsmiddel binnen handbereik. Hygiëne, bescherming en veiligheid zijn sleutelwoorden.

Een van de bizarre tableaux vervaardigd door Frederik Ruysch (1638-1731).
Bron: Dream Anatomy, National Library of Medicine, USA
Zie 4.8 Historische anatomische collecties

Hoofdstuk 3

Balsemen, begraven, cremeren

3.1 Cosmetica, thanatopraxie en balsemen

Een stoffelijk overschot wordt minimaal 36 uur na het overlijden en op zijn hoogst na vijf dagen ter aarde besteld of gecremeerd. Het komt niet vaak meer voor, zeker niet in de grote steden, dat na iemands overlijden het lichaam thuis wordt afgelegd en gekist, en vanuit het huis waar hij of zij is overleden ten grave wordt gedragen. Er is geen wet die het verbiedt om het stoffelijk overschot van iemand die overleden is in het huis op te baren waarin hij of zij is overleden. U hebt hiervoor bijvoorbeeld ook geen milieuvergunning nodig. Soms gebeurt het nog wel dat de overledene thuis wordt opgebaard, bijvoorbeeld in de slaapkamer, huiskamer of zelfs in de tuin. In de grote stad laten de nabestaanden uit praktische overwegingen het lichaam liefst zo snel mogelijk door een begrafenisondernemer naar een mortuarium of begrafeniscentrum vervoeren in afwachting van de definitieve bestemming. De wet verbiedt wel het balsemen van lichamen en het beschadigen van het lichaam en het verwijderen van organen buiten speciaal daarvoor aangewezen inrichtingen of instituten. En een dode begint al snel ontbindingsgeuren te verspreiden en dat zullen de buren niet waarderen.

In de meeste gevallen wordt het lichaam van de plaats van overlijden naar een mortuarium vervoerd en daar bewaard. Een mortuarium is een keurige opslagruimte speciaal ontworpen voor maar één doel: namelijk het verzorgen en tijdelijk bewaren van stoffelijk overschotten. Mortuaria zijn er in allerlei soorten en maten. Meestal is het niet meer

dan een bijgebouwtje bij een rouwcentrum waarin zich een behandel-
ruimte, een kantoortje en een koelruimte of -cellen bevinden. Een
merkwaardig gegeven is dat een rouwcentrum zonder koelinstallatie
geen milieuvergunning nodig heeft en een mortuarium met koelinstallatie wel. Ook elk ziekenhuis beschikt over een mortuarium en uiteraard is elk ziekenhuis in het bezit van de nodige vergunningen, ook
om lichamen te kunnen balsemen of om organen te verwijderen voor
transplantatie indien dit om de een of andere reden is vereist.

Voordat een stoffelijk overschot definitief wordt begraven of gecremeerd wordt het in ons land vaak cosmetisch behandeld en daarna gedurende een korte tijd opgebaard. In sommige culturen, bijvoorbeeld
in de Verenigde Staten, is balseming voorafgaand aan de definitieve
teraardebestelling eerder regel dan uitzondering, en een tendens om
dit over te nemen is thans in ons land merkbaar. Bij balsemen moet u
denken aan een heel scala van mogelijkheden. Men kan de eerste ontbindingsverschijnselen van het stoffelijk overschot afremmen door
met injectienaalden conserveringsmiddel door de buikwand heen in
de ingewanden te spuiten. Dit is bijvoorbeeld gebeurd toen Paus Jo-
hannes XXIII was overleden. Zijn lichaam werd in de Sint Pieterskerk
van Rome opgebaard waarbij grote ventilatoren ervoor zorgden dat de
lijkgeur die door het warme weer tóch waarneembaar was, enigszins
verdund werd met verse lucht. Erg hygiënisch was het allemaal niet als
u het mij vraagt.

Een andere methode is het vervangen van het bloed door een conserverende vloeistof die onder lichte overdruk via een slagader in het
lichaam wordt gespoten. Deze manier van balsemen is veel permanen-
ter en men beweert dat de grote Sovjetdictator Vladimir Iljitsj Oel-
janov Lenin na diens overlijden in 1924 vol formaline is gespoten. Met
formaline alleen ben je er nog niet, dus in het geval van Lenin werden
de hulptroepen van de Grote Sovjetwetenschap ingeschakeld. Men
ontwierp een systeem waarbij het lijk van de Grote Leider voor eeuwig
bewaard en tóch permanent aan het volk getoond kon worden. Geheel
in stijl van de grote Sovjetwetenschappelijke vooruitgang werden de
allermodernste technische trucs toegepast om dit mogelijk te maken.
In Moskou werd op het Rode Plein een speciaal gebouw neergezet met
als enige bestemming het lichaam van Lenin voor eeuwig te bewaren,
te conserveren en aan het proletariaat te tonen. Professor Vorobyev

werd belast met de permanente kwaliteitszorg van de gebalsemde leider en heeft zijn hele verdere leven een prettige werkkring gehad waarbij hij en zijn staf trouwe arbeid voor dit grote doel hebben verricht. Het gebalsemde lijk ligt thans nog steeds sereen in een verzegelde glazen kist waarbinnen de temperatuur en luchtvochtigheid perfect zijn geregeld. Lenins lichaam moest er zo natuurlijk mogelijk uitzien en mocht niet mummificeren. Men beweert dat er in het gebalsemde lijk een elektrische pomp was geplaatst om het lichaam ook van binnen op de juiste vochtigheidsgraad te houden. De opvolger van professor Vorobyev kreeg het in 1953 tweemaal zo druk toen Stalin overleed en diens lichaam ook een plekje kreeg in het mausoleum, naast dat van Lenin. Stalins lichaam werd overigens in 1961 uit het mausoleum verwijderd en op een onooglijk plekje tegen de buitenmuur van het Kremlin begraven. Sinds 1971 staat er bij zijn graf een bescheiden buste. Lenins lichaam, althans datgene wat er van over is, prijkt nog steeds in het mausoleum, maar er gaan steeds meer kritische stemmen op om de stekker er uit te trekken en een einde aan de heldenverering te maken.

In ieder geval is het lijk van de dictator tachtig jaren lang bewaard en hiervoor heeft men zich buitensporig ingespannen.

Balsemen in de zin van het volspuiten van het stoffelijk overschot met een permanent conserveermiddel is in ons land slechts toegestaan voor leden van het koningshuis. Voor gewone burgers wordt slechts een uitzondering gemaakt indien het lichaam naar het buitenland moet worden vervoerd. De 'balseming' in het mortuarium van de begrafenisondernemer zoals wij die kennen in de dagelijkse praktijk is niet meer dan een lichte cosmetische behandeling die uitsluitend tot doel heeft om het stoffelijk overschot zodanig te presenteren dat de achterblijvers een goede indruk aan de overledene overhouden. Tussen de cosmetische behandeling en de volledige, wetenschappelijk verantwoorde conservering bestaan allerlei andere mogelijkheden zoals het gedeeltelijk balsemen of licht balsemen. De specialist die deze soorten balseming tot zijn beroep heeft gemaakt heet een thanatopracticus. Zijn specialisme heet de thanatopraxie.

Er zijn goede redenen om een thanatopracticus aan het werk te zetten. Lijken in het algemeen, en vooral stoffelijk overschotten van mensen die ten gevolge van een ongeluk of na een uitputtende doodsstrijd zijn overleden, zijn voor de nabestaanden niet prettig om te zien. In onze herinnering willen wij geen beschadigd of oud en afgetakeld mens zien. We houden van een aangename herinnering, een beeld van iemand zoals hij of zij was in de kracht van het leven. De persoon mag niet uitdrukkelijk dood zijn maar moet lijken te slapen. De thanato-practicus helpt de nabestaanden een handje om de herinnering opti-maal te houden door het lijkachtige van de overledene weg te nemen en de indruk te wekken van een vredige slaap.

De Engelse schrijver Evelyn Waugh heeft ooit een alleraardigste roman over dit beroep geschreven dat zich afspeelt in een begrafenisonderne-ming in Hollywood: *The Loved One*. In de Verenigde Staten wordt zelfs aan post-mortem *face-lifting* gedaan. In ons land wordt dit (nog) niet in praktijk gebracht want de wet staat niet toe dat de begrafenis-ondernemer of de thanatopracticus ingrepen verrichten zoals een arts dat doet. U kunt de cosmetische behandeling camouflage noemen, show, nabestaandenbedrog of piëteit voor de overledene, maar een goede herinnering aan de overledene met een steuntje in de rug voor ons netvlies wordt door de meesten van ons wel gewaardeerd.

Een tweede goed reden om een stoffelijk overschot 'op te peppen' is de termijn tussen 36 uur en vijf dagen waarbinnen een overledene vol-gens de Wet op de Lijkbezorging moet worden begraven of gecre-meerd. Na 36 uur is het ontbindingsproces immers al gaande en na vijf dagen al volop bezig. Het is de bedoeling van de thanatopraxie om de symptomen van ontbinding te maskeren. Het heeft beslist niet het doel het lichaam permanent te conserveren, want dit is immers bij wet verboden. Voor dat laatste bestaat overigens een hele goede reden, na-melijk dat er in ons land maar beperkt ruimte is voor begraafplaatsen en we moeten dus recyclen.

Een derde reden die vaak door fervente aanhangers van thanatopraxie wordt aangevoerd is dat thanatopraxie een methode is om het de be-grafenisondernemer en de begraafplaatsbeheerders makkelijker te ma-ken de begrafenis om organisatorische redenen een dagje uit te stellen. Een begraafplaats heeft immers maar een beperkte capaciteit. Dit komt o.a. door alle rituelen die bij een begrafenis horen, en hetzelfde geldt voor een kerk, crematorium en het begrafeniscentrum.

Lichamen die naar het buitenland moeten worden getransporteerd om daar te worden begraven of gecremeerd worden vaak gedeeltelijk of geheel gebalsemd en door de luchtvaartmaatschappij in een lucht- en waterdichte kist in de buik van het vliegtuig vervoerd. Voor dit type balseming is de thanatopracticus ook verantwoordelijk. Conserveren van lichamen voor de lange termijn gebeurt alleen voor wetenschappelijke doeleinden en altijd in een anatomieafdeling van een universiteit, nooit bij een begrafenisondernemer of een thanatopracticus.

3.2 Lijkkist

Het is voor ons heel normaal dat een dode wordt gekist en daarna wordt begraven of gecremeerd. Wij vinden het zelfs abnormaal als een dode niet in een kist naar zijn laatste rustplaats wordt gebracht. Toch is een kist niet verplicht. In de Wet op de Lijkbezorging staat alleen dat er een registratienummer op het omhulsel of op de kist moet staan. Er staat nergens in de wet dat men verplicht is een dode in een kist van wat voor soort dan ook te begraven of te cremeren en er staan in deze wet helemaal geen kwaliteits- of milieueisen vermeld. U mag een dode dus best in een doek of lijkwade gewikkeld laten begraven, daartoe is geen enkel beletsel. Ook een rieten kist of een kartonnen verpakking is toegestaan.

Het wordt allemaal wat ingewikkelder als er een kist of een andere verpakking wordt gebruikt die kunststoffen bevat. Kunststoffen verteren heel slecht en een kunststof omhulsel kan het ontbindingsproces van het lichaam ernstig vertragen. Om deze reden zal de begraafplaats bijvoorbeeld het begraven in een grote plastic zak niet toestaan. Bovendien zou er na het ontbindingsproces op de begraafplaats een hoeveelheid kunststofafval overblijven die bij het ruimen op een discrete en hygiënisch verantwoorde manier verwijderd en afgevoerd moet worden

Een lijkkist is heel vaak gemaakt van gefineerd spaanplaat. Dit materiaal mag volgens de Warenwet niet meer dan tien milligram formaldehyde per 100 gram plaatmateriaal bevatten. Formaldehyde opgelost in water is formaline, en dat is een uitstekend conserveringsmiddel voor lichamen. Het formaldehyde zit niet voor niets in spaanplaat: het gaat namelijk schimmelvorming en rotting tegen en remt hiermee ongewenste afbraak. Toegepast als plaatmateriaal in woningen en in meubels is formaldehyde dus een nuttig stofje want het verlengt de levens-duur (hoewel het al bij lage concentraties de slijmvliezen en de ogen prikkelt en allergische reacties kan veroorzaken). In lijkkisten is toe-voeging aan het plaatmateriaal van te veel formaline taboe omdat in deze toepassing een snel onbelemmerd verteringsproces van inhoud én verpakking nu eenmaal essentieel is.

Plaatmaterialen worden aan elkaar gelijmd. Ook lijmen kunnen kunststoffen bevatten. Toegestaan zijn ureumformaldehydelijm en po-lyvinylacetaatlijm. Het plaatmateriaal wordt netjes afgelakt met nitro-celluloselak, dat wil zeggen afbreekbare alkydharsen (synthetische hars gemaakt uit alcoholen, carbon- en vetzuren) aangevuld met kleur- en vulstoffen.

De binnenzijde van de lijkkist wordt over het algemeen bekleed. Er worden milieueisen aan deze bekleding gesteld. De bekleding van de binnenzijkant van de kist mag geen geheel vormen met de bodem. De reden voor deze eis is dat de binnenbekleding van een lijkkist zich niet mag gaan gedragen als een kuip waarin zich vocht kan ophopen. Zoals u in het vorige hoofdstuk hebt gelezen bestaat ons lichaam vooral uit water en bij de ontbinding van het lijk moet dit water weg kunnen vloeien, anders loopt het ontbindingsproces onnodige vertraging op. Men past over het algemeen voor de bekleding acetaatkunststoffen toe zoals rayon. Deze kunststoffen worden vervaardigd uit cellulose en zijn goed afbreekbaar. Op de bodem van de kist wordt een laag celstofpa-pier gelegd en hierop een laag bekleding. Het kussen dat behoort bij de inventaris van de kist is van papier of van hetzelfde materiaal als de be-kleding en bevat papier of houtkrullen als vulling. Versieringen en or-namenten aan de buitenkant van de kist mogen van kunststof zijn als ze maar verwijderbaar zijn.

Houten lijkkisten kwamen pas in zwang in de achttiende eeuw. Hier-voor werden lichamen in een lijkdoek gewikkeld en vervolgens begra-ven. De beroemde componist Wolfgang Amadeus Mozart stierf straat-arm ondanks de enorme schat aan muziek die hij ons heeft nagelaten en hij werd op 6 december 1791 op het armenkerkhof St. Marx te We-nen begraven. In de film *Amadeus* van Milos Forman (1984) zet de re-gisseur de hartverscheurende laatste gang van Mozart treffend in scène. De paar mensen die de stoet begeleiden keren na de rouwbijeenkomst in de kapel snel in de stromende regen naar huis terug en niemand neemt de moeite de lijkkoets naar het graf te begeleiden. De begrafe-nisondernemer opent bij het graf de klep van de klapkist en het in een doek gewikkelde lijk van Mozart valt in de kuil van het armengraf waarin al een paar andere in grauwe lappen gewikkelde lijken liggen.

3.3 Begraafplaats

De wet schrijft voor dat de lichamen van overledenen alleen maar mo-gen worden begraven op een begraafplaats. Men mag dus niet op eigen houtje een graf in de tuin of in bos of duin graven en daarin een over-ledene leggen, grond erover, klaar. Men mag tegenwoordig doden ook niet meer onder de vloer van een kerk begraven zoals heel lang traditie is geweest. Als jongetje was ik altijd bijzonder onder de indruk als ik in een grote kerk of kathedraal over donkere, door de eindeloze voeten-parade halfversleten grafstenen liep waarop nog nauwelijks namen wa-ren te lezen en waarvan je uit de jaartallen kon vernemen dat lang gele-den onder deze steen een persoon was begraven. Een lichte huivering overviel mij dan altijd wel. Als u in het buitenland een Middeleeuwse kathedraal bezoekt ziet u in talloze kapelletjes en hier en daar tegen een muur van een zijbeuk neergezet sarcofagen waarin kennelijk ooit no-bele mensen of helden zijn bijgezet, in ieder geval mensen die het zich financieel konden veroorloven. Aan het beeldhouwwerk op en aan zo'n sarcofaag is vaak veel aandacht besteed. Een enkele ridder ligt in steen vereeuwigd op de deksel van zijn kist, handen gevouwen over het zwaard op de borst. In sterke tegenstelling met de indruk dat zo'n wa-pen achterlaat, staat meestal de godsvrucht die uit vrome gebeeld-houwde bijbelse afbeeldingen rondom de ridder en vanaf de zijkanten van de sarcofagen op de bezoeker afstraalt. Wat ik als jongetje niet doorhad was dat alle jaartallen op de zerken en sarcofagen dateerden van vóór de Franse tijd. Meer recentere jaartallen staan op de zerken op de begraafplaats buiten de kerk. Tijdens de Bataafse Republiek werd in 1804 een nieuw Burgerlijk Wetboek ingevoerd, de *Code Civil,* en in 1810 onder Napoleon een nieuw strafrecht, de *Code Pénal.* De Fransen moesten niets hebben van het begraven van overledenen on-der de plavuizen van een kerk. Het was vies, gaf stankoverlast (hier komt het gezegde 'een rijke stinkerd' vandaan), het was tegen het principe 'liberté, fraternité, en vooral egalité' en men vond groene zoden ver weg buiten de stad een stuk frisser dan arduinen dekplaten in de kerkvloer. Begraafplaatsen hoorden volgens hen buiten de stadsmuren. De kerkgenootschappen en kerkbesturen waren *mordicus* tegen deze maatregel en saboteerden de regels waar ze maar konden. Waarschijnlijk betaalden de rijke stinkerds en hun nabestaanden een lieve duit aan grafrechten aan het kerkbestuur. Toen de Fransen vertrokken waren en Koning Willem I het voor het zeggen kreeg werden de gehate wetten prompt weer ingetrokken. Pas in 1827 kwam men weer bij zinnen en werd definitief het begraven in de kerk afgeschaft. Alleen leden van het koninklijk huis hebben het privilege dat ze na hun verscheiden worden bijgezet in de grafkelder van de Nieuwe Kerk in Delft.

Er zijn volgens de Wet op de Lijkbezorging twee soorten begraafplaatsen: gemeentelijke en bijzondere begraafplaatsen. Elke gemeente is verplicht er tenminste één begraafplaats op na te houden. Bijzondere begraafplaatsen worden aangelegd en onderhouden door erkende kerkgenootschappen en door wat de wet noemt 'privaatrechtelijke rechtspersonen'. Dit mogen deze rechtspersonen overigens pas na goedkeuring van de gemeenteraad van de gemeente waar de bijzondere begraafplaats is of wordt gevestigd. De inrichting van de begraafplaats, en het maakt dan niet uit of het een gemeentelijke of een bijzondere begraafplaats is, gaat altijd in nauwe samenwerking met de Inspectie van de Volksgezondheid. Dit laatste is belangrijk. In Nederland overlijden per jaar zo'n 140.000 mensen. Voor de nabestaanden is het overlijden van een dierbare een ontzettend emotionele gebeurtenis. Je begraaft je vader, moeder, broer, zus, partner, kind of vriend. Er is verdriet en rouw en de stemming is gedrukt en emotioneel. Begrafenissen zijn nooit leuk. De overheid daarentegen kent weinig emoties. Men ziet een begraafplaats als een plaats waar zo veel mogelijk lichamen zo snel, zo netjes en zo discreet mogelijk tot ontbinding moeten overgaan om weer plaats te maken voor de volgende lichamen, en dit alles zonder dat het milieu er onder lijdt. De hele begraafplaats en het beheer ervan is hierop ingericht. Voor de overheid is een begraafplaats zoiets als een procesindustrie. Vergis u niet als u op een serene begraafplaats rondloopt en geniet van de stilte die alleen maar wordt benadrukt door het ruisen van de bladeren en het fluiten van een enkele vogel. U staat op het topje van een ontbindingsfabriek die dag en nacht doordraait.

Een heel bijzondere begraafplaats is de natuurbegraafplaats Bergerbos in St. Odiliënberg bij Roermond. Hier ziet u niet de verpletterende eenvormigheid en massaliteit die de grote begraafplaatsen in ons land zo kenmerkt. De begraafplaats ligt midden in de bossen en er is een grote vrijheid in de keuze van de plek waar het graf moet komen, en men kan kiezen uit een urnengraf, familiegraf, bosgraf en natuurgraf. De grafmonumenten zijn in overeenstemming met het karakter van de omgeving: zwerfkeien, hout, struik of boom. Graven worden uitgegeven voor termijnen van 20, 50 of 100 jaar. U hebt hier na uw overlijden in ieder geval ruim de tijd.

3.4 Bovengronds begraven

Bij begraven denkt iedereen onwillekeurig aan een gat of een diepe kuil in de grond, of aan een grafkelder of aan catacomben. Niet overal ter wereld is het gewoonte om de overledenen in de grond te begraven. Soms heeft dit een culturele achtergrond, zoals bij de Aborginals van Australië, en soms laat de natuur eenvoudig niet toe dat men ondergronds begraaft. Een prachtig voorbeeld van het laatste is de Amerikaanse stad New Orleans. De ondergrond in de Mississippidelta is puur moeras, met een ongekend hoge grondwaterspiegel. Met enige regelmaat overstroomt het land als er een wervelstorm vanaf de Golf van Mexico komt aanwaaien of als de Mississippi zelf een hoge waterafvoer heeft. Kisten die op de traditionele manier begraven zouden worden, komen door de opwaartse kracht van het grondwater spoedig weer boven de grond. Het hoge grondwaterpeil belemmert de lijkvertering. Daarom 'begraaft' men in New Orleans al sinds mensenheugenis boven de grond. In de westelijke voorstad Metairie, langs de snelweg naar het vliegveld, bevinden zich onnoemelijk uitgestrekte begraafplaatsen. Dit zijn merkwaardige plekken, want de begraafplaatsen hebben de afmetingen van standaard Amerikaanse huizenblokken, met hier en daar op de hoeken van de brede geasfalteerde wegen hamburgertenten, benzinestations, winkels en bedrijfjes voorzien van grote reclameborden. Bezoekers van de begraafplaatsen komen onveranderlijk met de auto en parkeren pal bij het graf van hun geliefde. De graven in de vorm van bescheiden witte bakstenen bouwsels staan in rijen naast elkaar, drie tot vier etages hoog, waarbij in iedere etage precies een Amerikaanse *king size* lijkkist past. Een kist met een overledene wordt in zo'n etage geschoven, de opening wordt dichtgemetseld en afgestreken met witte pleisterkalk, en de natuur mag verder haar gang gaan. Insecten en kleine reptielen kruipen door de barsten en spleten in de bouwsels en doen zich te goed aan een rijk maal. Het stoffelijk overschot, geholpen door de warme, vochtige tropische atmosfeer, doet zelf de rest. Na een jaar is de etage van binnen compleet leeggevreten en in principe weer klaar voor een volgende gast.

3.5 Levend begraven

Stelt u zich voor dat u totaal verlamd bent, schijndood. U ligt roerloos op een roestvrijstalen tafel ergens in een of ander ziekenhuis. Waarom u hier ligt weet u niet. Ademen lukt niet, laat staan schreeuwen, praten, murmelen, fluisteren. U herinnert zich vaag een grote klap. En u hebt het koud, erg koud. En u kunt zich niet bewegen. U wordt door paniek overmand. Een onverschillige arts heeft het veel te druk met allerlei privézaken en neemt niet eens de moeite om u grondig te onderzoeken. Net voordat een ijskoud laken over uw hoofd wordt getrokken ziet u een van de formulieren in zijn hand waarop hij terloops het woord 'overleden' aanvinkt en een paar getallen die een tijdstip zouden kunnen zijn. Handen pakken u op en leggen u in een nauwe ruimte. Het lijkt wel een doos. Iets donkers wordt op uw doos gelegd. Zouden ze me in een kist hebben gelegd en me nu gaan begraven? Het ijskoude zweet breekt u uit. De paniek is nu compleet.
Angst om levend te worden begraven kent de mensheid al heel lang. En terecht, want tijdens de grote pest- en choleraepidmieën van de Middeleeuwen schijnen er nogal eens halfdode mensen slachtoffer te zijn geworden van een te haastige massabegrafenis. Angst om levend te worden begraven was in de negentiende eeuw een regelrechte *hype*. Er is zelfs een beschrijving voor deze angst uitgevonden: taphefobie. De angstgevoelens werden aangewakkerd door verhalen over sissende geluiden die uit doodskisten kwamen, lichamen die bij het openen van een graf in een onnatuurlijk verkrampte houding leken te liggen, krassen aan de binnenkant van het deksel van de lijkkist en splinters onder

de nagels van het lijk en door prachtige verhalen in een genre dat toen pas was uitgevonden: de *horror story*. De koning van het griezelverhaal was ongetwijfeld Edgar Allen Poe (1809-1849). Deze Amerikaan heeft een paar aardige verhalen op zijn naam staan rondom het thema 'levend begraven'. Nu kon men aan het begin van de negentiende eeuw nog niet met honderd procent zekerheid vaststellen dat iemand écht dood was. In hoofdstuk 1 heeft u gelezen over schijndood en coma, en zelfs vandaag de dag komt het nog wel eens voor, zij het gelukkig zelden, dat iemand van wie men dacht dat hij of zij dood was, bij nader inzien tóch nog in leven bleek te zijn.

In de negentiende eeuw bedacht men verschillende oplossingen voor het bijna-maar-toch-niet-echt-dood probleem. In München bijvoorbeeld werden de lichamen van overledenen 72 uur in een speciaal lijkenhuisje bewaard, het schijndodenhuisje.

Geur als hulpmiddel bij de definitieve diagnose 'overleden' was indertijd nog heel belangrijk. Om de eerste ontbindingsverschijnselen, en met name de penetrante lijkgeur, te maskeren was het bouwseltje omgeven door bossen frisse bloemen en werd er kwistig met antiseptische vloeistoffen gesprenkeld. Aan een van de vingers van het lijk was een touwtje vastgemaakt dat was verbonden met een belletje in het kantoortje van de portier. Als het belletje rinkelde had de vinger van het lijk een beweging gemaakt en schreven de regels voor dat de dienstdoend portier poolshoogte moest gaan nemen. Omdat het belletje regelmatig klingelde zonder dat er ook maar een spoortje leven in het desbetreffende lijk viel waar te nemen, maar meer nog omdat de medische wetenschap zich steeds verder ontwikkelde, werd op een gegeven moment besloten de hele malle toestand op te ruimen. De portiers zullen het waarschijnlijk niet erg hebben gevonden.

Het idee om na je begrafenis in de kist weer wakker te worden en machteloos te moeten wachten in het donker tot je uiteindelijk aan uitdroging en verhongering zou sterven, bleef voor veel mensen toch een zeer beangstigende gedachte. Opnieuw werd door vindingrijke lieden een oplossing gevonden. Een kamerheer van de tsaar van Rusland, graaf Karnice-Karnicki, introduceerde in 1897 een soort bewegingsdetector gebaseerd op het principe van de klassieke muizenval. In het deksel van de lijkkist bevond zich een opening. Bij de begrafenis werd op de opening een buis geplaatst die de kist met de buitenlucht verbond. Via de buis werd op de borst van de overledene het uiteinde van een riet geplaatst waaraan boven de grond een soort muizenval vastzat met een vlaggetje, een belletje en een signaallamp. Als de borst van de overledene bewoog, ging de muizenvalconstructie af: het vlaggetje kwam omhoog, het belletje begon te rinkelen en de lamp te branden. Of er veel gebruik is gemaakt van deze uitvinding is niet bekend. U kunt zich voorstellen dat de kans op vals alarm nogal groot was omdat de borstkas van een ontbindend lijk nu eenmaal gemakkelijk door gasvorming kan vervormen. En om na het afgaan van het alarm na veel gegraaf vast te moeten stellen dat het om ontbindingsprocessen in een onfris lijk ging in plaats van het wanhopige gekrabbel van een schijndode die wakker was geworden, was ook weer een beetje te veel van het goede.

Vroeger was angst voor het levend begraven worden misschien nog enigszins gegrond. Levend te worden begraven is tegenwoordig uitgesloten zeggen zowel doktoren als uitvaartondernemers. Hoewel... Levend begraven worden komt nog wel degelijk voor. Alleen is het niet meer de schuld van artsen of verpleegkundigen. Aardbevingen, lawines en mijnrampen maken elk jaar nog steeds slachtoffers, wetenschap en techniek ten spijt. En wat dacht u van de bemanning van de gedoemde Russische onderzeeboot, de *Kursk*?

3.6 Ruimen

Graven worden geruimd. 'Eeuwige' grafrechten worden tegenwoordig op de meeste begraafplaatsen niet meer toegestaan. Het hele ontbindingsproces van een lijk duurt één tot twee jaar. Na deze periode blijven er alleen wat beenderen met hoge mineraalinhoud over, zoals delen van de schedel, kaken en pijpbeenderen. De kaken en het rotsbeen zijn het hardst. Dit zijn dan ook delen die kunnen fossiliseren. Tegenwoordig hebben wij niet zoveel kans meer om het tot een fossiel te schoppen. Na tien jaar mag een graf, afhankelijk van de overeenkomst, zonder tussenkomst van de rechter worden geruimd. Dat wil zeggen het wordt geopend en datgene wat er nog over is wordt uit het graf verwijderd en herbegraven in een verzamelgraf.

Op sommige gemeentelijke begraafplaatsen kunt u een grafplaats reserveren. U doet dit door een verzoek te richten voor het uitsluitend recht op een graf bij de burgemeester en wethouders van de gemeente waar de begraafplaats is gelegen. Een verleend recht blijft 20 jaar geldig. U of uw nabestaanden kunnen daarna het recht steeds tien jaar verlengen. In principe kan uw stoffelijk overschot dus eeuwig in een graf blijven liggen maar dan moeten uw nabestaanden en de nabestaanden van de nabestaanden elke tien jaar een verzoek tot verlenging indienen (en grafrechten betalen!). Doen ze dit niet, dan wordt het graf na het afloop van de laatste verlengingstermijn geruimd. U begrijpt het al, dit systeem zorgt er vanzelf voor dat na een generatie of twee de lust tot het verlengen wel is vergaan.

3.7. Crematorium

Heel wat mensen vinden het vooruitzicht dat hun lichaam na hun overlijden in een kist wordt geplaatst om daarna in de aarde te verteren niet prettig. Men wist in de Middeleeuwen al donders goed dat verbranden de beste en meest hygiënische manier was voor het verwijderen van stoffelijke resten. Rond de tijd van Karel de Grote werd het steeds meer *en vogue* om de doden te begraven. De nobelen en mensen die het betalen konden werden in de kerk begraven, de armen buiten de kerk. Crematie raakte in onbruik. Dit kwam omdat men volgens het toen heersende geloof op de Jongste Dag uit het graf diende op te staan om met het hele hebben en houden het Laatste Oordeel te ondergaan. Dit opstaan op zich is al moeilijk voor te stellen bij mensen die reeds lang zijn begraven, maar bij crematie wil dit beeld er zelfs bij de meest bijbelvaste persoon niet in. Alleen tijdens grote epidemieën werden de lichamen van de slachtoffers haastig op grote vuren verbrand. In het strafrecht maakte men één uitzondering: heksen en ketters werden op een grote brandstapel gezet en levend verbrand. En niet weinig ook. Tijdens de Middeleeuwen en in de periode daarna zijn talloze mensen slachtoffer van deze praktijken geworden. Ook onze eigen laatste Spaanse koning, Filips II, was een hartstochtelijk bestrijder van alles wat naar ketterij rook. Tijdens zijn regering liet hij toe dat zijn geloofspolitie, de *Inquisitie*, maar liefst 220 protestanten op de brandstapel zette. Pas bij de maatschappelijke omwentelingen die veroorzaakt werden door het rationalisme en door de Industriële Revolutie van de negentiende eeuw ziet men weer belangstelling opkomen voor crematie als eindbestemming van het stoffelijk overschot. Denkt u zich eens in: de steden groeiden enorm en de begraafplaatsen rond de kerk moesten de toenemende stroom stoffelijk overschotten zien te verwerken. Dit gaf grote problemen. Tegelijk veranderden langzaam maar zeker de inzichten met betrekking tot de hygiëne en het resultaat kan men raden. Vooral liberale wetenschappers waren voor lijkverbranding, de kerk was tegen. Praktisch ingestelde stadsbestuurders verplaatsten de begraafplaatsen naar een stille plek buiten de muren, ver weg van het stadsgewoel. In vele landen, inclusief ons land, werd crematie van overheidswege gedoogd, maar niet bevorderd. Toch werd in Nederland het eerste crematorium al in 1913 in Velsen gebouwd bij de begraafplaats Westerveld. Tegenwoordig is dit crematorium een rijksmonument. Pas ver na de Tweede Wereldoorlog, in 1968, werd cremeren voor de wet gelijkgesteld met begraven. Thans wordt ongeveer de helft van het aantal overledenen in ons land gecremeerd.

U kunt crematie zien als een beheerste, schone en versnelde ontbinding. Waar zuurstof en aarde één tot twee jaar over doen, doet een fikse temperatuursverhoging het veel sneller. De temperatuur in de crematieoven bedraagt 800 tot 1000 graden. Water wordt snel onttrokken aan het lijk, de eiwitten en vetten, dat wil zeggen koolstof, stikstof en zwavel verbranden en er blijven na het verbrandingsproces alleen wat grotere en kleinere minerale resten over – botfragmenten en as dus. Het hele proces duurt één tot anderhalf uur. Droeg de overledene een prothese, bijvoorbeeld een metalen heupgewricht, dan vindt men deze uiteraard in de as terug. Het gaat om behoorlijke hoeveelheden metaal, want in Nederland worden jaarlijks meer dan 15.000 kunstheupen geplaatst. Met andere woorden, de helft hiervan vindt zijn weg naar een crematorium.

Meer zorg baart de hoeveelheid kwik die via de schoorstenen van crematoria in het milieu terecht komt. Kwik? Inderdaad, kwik afkomstig uit het amalgaam waarmee de tandarts gaatjes in het gebit vult. Men schat dat een crematorium dat per dag vijf crematies verricht jaarlijks ongeveer vijf kilo aan kwikdamp uitstoot. Bij de bouw van nieuwe crematoria schrijft de wet voor dat maatregelen moeten worden genomen om uitstoot van kwik te voorkomen.

Ook metalen delen van de kist zoals hengsels, versiersels, schroeven, nagels, krammen en nietjes blijven na het verbrandingsproces over. Deze metalen worden na de crematie uit de as gezeefd. Een bijzonder gevaar kan een pacemaker opleveren. Deze apparaten zijn zeer compact en sterk en kunnen tijdens het crematieproces een explosie veroorzaken waardoor de oven ontwricht wordt. Voordat het lichaam wordt gecremeerd wordt dan ook zorgvuldig nagegaan of de overledene bij leven en welzijn een pacemaker droeg. Na het crematieproces worden de grotere en kleine minerale resten in een molen tot fijne as vergruisd en in een urn gedaan die van een registratienummer is voorzien. Doordat voortdurend de identiteit van de overledene wordt gecontroleerd en omdat er steeds maar één lichaam wordt verbrand en nooit meerdere tegelijk, is het uitgesloten dat de as van een gecremeerde persoon in een urn terecht komt die voor een andere overledene is bestemd. Het lichaam produceert ongeveer twee kilogram as, de rest wordt waterdamp, kooldioxide en wat restgassen.

Een crematie heeft geen noemenswaardige invloed op het milieu. Een crematorium moet aan strenge milieueisen voldoen en mag geen overlast bezorgen aan de omgeving. Hierom zijn onder andere filters in de rookgasafvoer aangebracht.

De urn met de as van de overledene wordt in het columbarium bewaard of de as wordt uitgestrooid op een strooiveld of boven zee. Voor het uitstrooien boven land gelden weer allerlei milieuregels om ervoor te zorgen dat er niet te veel as op één plek terecht komt. De urn kan ook door de nabestaanden worden bewaard.

Soms wordt de as op een ongewone manier bewaard. Zo is er bijvoorbeeld de firma Celestis in Amerika die de as van gecremeerde personen met een raket de ruimte in schiet. Niet alle as natuurlijk, maar slechts een *sample*, want bij raketlanceringen is elke gram gewicht goud waard. Zo is een beetje as van Gene Roddenberry, de bedenker van de bekende science-fictionserie *Star Trek*, na diens overlijden in een baan om de aarde gebracht.

3.8 Mummies

Als een stoffelijk overschot om de een of andere reden niet de kans krijgt om volledig tot ontbinding te geraken, blijft een als mens herkenbaar object over. Ontbinding verloopt het snelst als een lichaam niet in maar op de grond ligt. In sommige culturen wordt het lichaam van de overledene overgeleverd aan de elementen, maar in de westerse landen niet. Wij vinden alleen al het idee volstrekt onacceptabel en dus begraven of cremeren wij onze doden. Indien er onvoldoende zuurstof in het graf kan toetreden, en als het niet vochtig genoeg is, dan kunnen lichamen door uitdrogen mummificeren.

Mummies van Wieuwerd

Mummificeren van lijken gebeurt niet alleen in een hete woestijn als een reiziger door dorst en ellende aan zijn eind komt en de hyena's niet bij het lichaam kunnen komen. Ook in ons eigen land gebeurt het. We gaven in dit boek al eerder het voorbeeld van de oude grafkelder onder de kerk in het Friese Wieuwerd waar zich vier mummies bevinden. Deze mummies zijn authentiek; men denkt dat door de kurkdroge lucht in de grafkelder het mummificatieproces het heeft gewonnen van de volledige vertering. Deze uitgedroogde lijken behoren tot de grote toeristische attracties van Friesland. Andere uitgedroogde lijken kunt u tegenkomen als u in uw onschuld sommige Italiaanse kerken bezoekt. Als u geluk hebt is de plaatselijke heilige of bisschop na zijn dood bijgezet in een van de altaren. Vaak zit er in het front van het altaarblok een ruitje waardoor men als men nieuwsgierig naar binnen gluurt geconfronteerd wordt met het uitgedroogde gezicht van de heilige met een scheefgezakt hoofd voorzien van een mijter of ander hoofddeksel.

Egyptische mummies

Bij de mummies in Wieuwerd en de ingemetselde heiligen in de Italiaanse kerken was geen opzet in het spel. Daarentegen was in het oude Egypte in de loop der eeuwen het mummificeren van lichamen na de dood tot een kunst verheven en zelfs *big business* geworden. De Egyptische mummie-industrie bereikte na een aanloop in het Middenrijk een hoogtepunt in het Nieuwe Rijk en als gevolg hiervan ligt het halve nationale museum in Cairo vol met mummies in allerlei soorten en maten. In ons land kunt u prachtig geconserveerde Egyptische mummies zien in het Museum van Oudheden in Leiden, zowel van mensen als van katten en vogels, en er is zelfs een vitrine met een tot mummie omgebouwde Nijlkrokodil.

De kunst van het mummificeren bestond hieruit dat men de lichamen op een beheerste wijze liet conserveren onder de hete Afrikaanse zon. Allereerst werd een keurige snede in de buik van het stoffelijk overschot gemaakt en werden de ingewanden uit de borstholte en de buikholte verwijderd: hart, longen, lever, darm, en de baarmoeder wanneer het een vrouw betrof. Het hart en de longen waren eenvoudig via de buikholte te bereiken door een snede in het middenrif. Men wist dat hart en longen vitale organen zijn. Aangezien het de bedoeling was dat de eigenaar van deze organen in het hiernamaals als volledig mens zou functioneren, werden alle ingewanden zorgvuldig bewaard en na het drogen en balsemen in doeken gewikkeld in vier speciale kruiken bij de mummie bewaard. Deze vier canopen hadden ieder een eigen deksel, gemodelleerd naar hun beschermgod: menselijk, aap, valk en jakhals. Met de hersenen wist men eigenlijk geen raad. Vitaliteit, wilskracht, persoonlijkheid, moed, liefde, al deze eigenschappen behoorden immers het hart toe. Hersenen waren in de gedachtewereld van de Egyptenaren niet meer dan een klier bedoeld voor de afscheiding van snot en slijm. Dat hersenen tijdens het ontbindingsproces na de dood snel vervloeien, wisten de Egyptenaren drommels goed. Een van de eerste behandelingen die een pas overleden Egyptenaar onderging was hierom het verwijderen van de hersenen. Een ongeveer 40 centimeter lange dunne metalen staaf met aan het eind een haakje werd via de neus omhoog gestoten door het broze zeefbeen heen de schedelholte in. Zodoende werd een verbinding gemaakt tussen de hersenholte en de buitenwereld en konden de hersenen met dit instrument zo goed en zo kwaad als het ging verwijderd worden. In de lege schedelholte werd vervolgens warme hars gegoten. De hersenfragmenten werden niet als vitaal beschouwd en als nutteloos afval weggegooid. U kunt dus in het hiernamaals een Egyptenaar uit het tijdperk van de Farao's heel gemakkelijk herkennen door onder een beleefd gemompeld 'pardon' op zijn hoofd te tikken. Het moet een hol of een harsachtig geluid geven. Na het verwijderen van de hersenen werden de ingewanden verwijderd en werd het lichaam eerst met grof keukenzout behandeld om water te onttrekken en om het te conserveren; het lichaam werd als het ware gepekeld. Tegelijk werd het lichaam langzaam gedroogd. De conserverende behandeling was na zo'n zes tot zeven weken voltooid. Hierna werd de lege buikholte opgevuld met zaagsel, of met een mengsel van

73

zaagsel, aarde en kruiden, en werd het lichaam in stroken linnen gewikkeld waartussen amuletten waren gestopt. Het hoofd werd bedekt met een prachtig masker. Farao's kregen een gouden dodenmasker mee. Het geheel werd in een fraai bewerkte houten kist gelegd, en deze kist werd op zijn beurt in een grote granieten sarcofaag geplaatst. De sarcofaag werd bijgezet in een gewone grafkelder of, als de overledene aanzien genoot, in een grafkelder onder een piramide waarvan de afmetingen in verhouding waren met de rijkdom en het aanzien van de dode. De bovenbazen van Egypte, de Farao's, kregen volgens dit gebruik de allergrootste piramiden om en boven hun sarcofaag.

Asmummies

U kent vast het verhaal van Pompeii en Herculaneum. Op 24 augustus van het jaar 79 voor Christus barstte de Vesuvius open en een gloeiende gaswolk rolde de helling af in de richting van deze steden. De onfortuinlijke slachtoffers ademenden de hete gassen is en stikten vrijwel meteen. Daarna begon as neer te regenen die de lichamen van de omgekomen bedolf met een dikke laag zwart sediment. De lichamen zelf verdwenen helemaal, maar waar ze gelegen hadden bleef een holte over in de aslaag met precies de lichaamsvorm en de lichaamshouding die de slachtoffers hadden op het moment van overlijden. In 1594 werd Pompeii herontdekt en in de achttiende eeuw begonnen de opgravingen die tot op de dag van vandaag nog voortduren. Door gips te gieten in de holten in de aslaag worden afgietsels verkregen van de slachtoffers. Dit zijn dus geen echte mummies maar alleen de spookachtige omtrekken van de door de ramp zo schielijk overvallen inwoners, slaven en dieren van Pompeii. Veel van deze 'mummies' zijn adembenemende dramatisch om te zien.

In 1902 explodeerde op het Caribische eiland Martinique een nabijgelegen vulkaan, de Mont Peleé, waardoor een wolk gloeiend heet gas over de nabijgelegen stad uitstroomde. Op één ziel na kwamen alle 12000 inwoners om.

IJsmummies

Ötzi is de naam die men heeft gegeven aan een wel heel speciale mummie. In september 1991 vonden twee wandelaars op een gletsjer in de Ötztaler Alpen op de grens van Italië en Oostenrijk het lichaam van een dode man. Hij stak half uit het ijs. Vier dagen later werd het lijk door de gerechtelijke lijkschouwer per helikopter naar Innsbruck gebracht waar het werd bewaard in een vrieskist in het Anatomisch Instituut van de Universiteit. Later kregen Oostenrijk en Italië ruzie of Ötzi op Oostenrijks of op Italiaans grondgebied was gevonden. Italië heeft het pleit gewonnen en tegenwoordig verblijft Ötzi in een diepvrieskist in het Museo Archeologico dell' Alto Adige in Bolzano. Vastgesteld is dat het manneke (158 centimeter lang) ongeveer 5000 jaar geleden is overleden, daarna op natuurlijke manier gemummificeerd en in het ijs van de gletsjer opgenomen. Het bijzondere van Ötzi is dat het lichaam door de combinatie van mummificatie, ijs en vochtigheidsgraad bijzonder goed bewaard is gebleven. De kleding, werktuigen en wapens die hij droeg zijn nog grotendeels intact. Waarschijnlijk was Ötzi een herder of een jager. De eerste theorie over zijn overlijden veronderstelde dat de man een ongeluk had gekregen of door een wild dier was aangevallen en daarna op de gletsjer aan zijn verwondingen was overleden. Een nader onderzoek in 2001 bracht aan het licht dat er een pijlpunt in zijn borstkas zat, vlak onder het sleutelbeen. Door deze spectaculaire ontdekking is de discussie over de doodsoorzaak van de ongelukkige man weer helemaal opgelaaid: moord, offer of ongeluk? Ook de veronderstelling dat Ötzi een jager was staat op losse schroeven. In ieder geval had Ötzi ruim voor zijn overlijden nog gegeten. In zijn maag werd een halfverteerde maaltijd gevonden van roggekorrels vermengd met hertenvlees.

Ötzi is niet de enige persoon die lang na zijn dood als mummie is teruggevonden op of aan de rand van een gletsjer. In Canada is in 1999 ook een ijsman ontdekt en al veel eerder (1883) waren door Johann Adrian Jacobsen vier ijskoude Eskimomummies ontdekt in een grot in Alaska. In 1924 werd door de Engelsman George Mallory een dappere poging ondernomen om Mount Everest te beklimmen. Mallory en zijn begeleider keerden niet terug en er werd door reddingsexpedities geen spoor meer gevonden van beide bergbeklimmers. De vraag was of Mallory door kou en ontbering was overleden nadat hij de top had bereikt of vóórdat. In het eerste geval zou hij namelijk de eerste mens zijn geweest die de top van 's werelds hoogste berg zou hebben bereikt. In 1999 werden door een expeditie de stoffelijke resten van Mallory gevonden op de noordhelling van het bergmassief. Omdat zijn camera nooit is gevonden weten we nog steeds niet of hij nu wél of niet de top van 's werelds hoogste berg heeft bereikt.

Over ijsmummies ten slotte nog dit. Als u tijdens uw vakantie onbezorgd gaat wandelen op een gletsjer en u overkomt het ongeluk dat u in een gletsjerspleet terecht komt, dan komen uw overblijfselen vroeg of laat met het bewegende ijs aan de rand van de gletsjer terecht. Over 100 of 200 jaar wel te verstaan, want gletsjerijs beweegt slechts langzaam richting dal. Of een expeditie moet erin slagen uw stoffelijk overschot te vinden zoals gebeurd is met de arme Mallory.

Veenmummies

Zuur water zoals dat voorkomt in veenmoerassen heeft een looiende werking op de menselijke huid. Hierdoor, en door de zuurstofarme omgeving waarin het lichaam is ingesloten, wordt de ontbinding sterk vertraagd. In gebieden met veel hoogveengebieden, zoals in Jutland maar ook in onze eigen provincie Drenthe, zijn, vooral in de negentiende eeuw, verschillende veenmummies of veenlijken gevonden tijdens het ontginnen van de veenmoerassen. Het bekendste Drentse veenlijk werd in 1897 gevonden bij het gehucht Yde in het noorden van de provincie. Bij onderzoek aan dit 'meisje van Yde' is vastgesteld dat ze waarschijnlijk rond het begin van onze jaartelling op zestienjarige leeftijd ter dood is gebracht en in een vennetje begraven. Wellicht was zij het slachtoffer van een offerceremonie. In Denemarken zijn beroemde veenlijken gevonden zoals de Tollund-man, de Koelbjergvrouw en de Gadevang-man. Sommige veenlijken tonen sporen van geweld, zoals de Elling-vrouw die gevonden werd met de leren strop waarmee ze was gewurgd nog om haar hals.

Het eerste dat opvalt aan een veenmummie is de diep donkerbruine kleur die de huid door het looiproces heeft gekregen. Vaak is de mummie slap omdat door het eeuwenlange verblijf in het zure water al het kalk uit de beenderen is opgelost. Doordat de lichamen in allerlei moerassen zijn gevonden is de staat van conservering ook heel verschillend. In het Drents Museum in Assen kunt u een reconstructie van het hoofd van het meisje van Yde bewonderen. In Denemarken kunt u, als u van veenmummies houdt, het museum in Silkeborg bezoeken waar een speciale afdeling is ingericht over de veenlijken.

Tsantsa's

Zo nu en dan duikt in een krant een luguber berichtje op dat in het Amazonegebied weer eens een miniatuurhoofd is gevonden. Deze berichten komen uit het gebied diep in het oerwoud van oost-Ecuador en oost-Peru waar de Jívaro-indianen wonen. Deze Shuar-stam hield er tot aan de jaren zestig van de vorige eeuw een vreemde gewoonte op na. De mannelijke leden van de stam waren uiterst krijgshaftig. Ze verzamelden de hoofden van gedode vijanden, liefst die van de naburige Achuar-stam, maar men beweert dat ook menig Spaanse conquistador en missionaris letterlijk een kopje kleiner is gemaakt. De indianen bewerkten hun buit tot zogenaamde tsantsa's of verschrompelde hoofden. Het bewerkingsproces ging als volgt. De hoofdhuid werd voorzichtig van de schedel losgemaakt. Met name besteedde men veel aandacht aan de huid rondom de ogen, neus, mond en oren. De huidlap werd in heet water gelegd waaraan een aantal kruidenextracten en wat looizuur was toegevoegd, en het geheel werd net zo lang verwarmd tot het vel gekrompen was en de gewenste graad van conservering bereikt. Na deze bewerking werd de huid op de plaats waar de oogleden en de mondopening zich bevinden met dunne plantenvezels dichtgenaaid. Het resultaat van de bewerking was een soort slappe voetbal met de doorsnede van een flinke vuist die werd volgepropt met gedroogd plantaardig materiaal. Hierna werd de halsopening dichtgenaaid, het fijne gezichtshaar boven een vuurtje weggeschroeid, het hoofdje met olie ingewreven, en klaar was de tsantsa. In sommige antropologische musea kunt u tsantsa's bewonderen. Met de komst van toeristen naar het gebied schijnt er ook een aantal namaak-tsantsa's in de handel te zijn gekomen.

Kannibalisme

In het Okapa-district van het land dat tegenwoordig Papoea Nieuw-Guinea heet werd in de jaren vijftig van de vorige eeuw bij de lokale bevolking een merkwaardige, snel verlopende en dodelijke ziekte vastgesteld. De slachtoffers leden aan *kuru*, een ziekte waarvan de slachtoffers worden getroffen door een snel optredende opvolging van symptomen. Kuru begint als een spierziekte in de benen met problemen met het staan en het lopen. Een tijdje later verergeren de problemen en heeft men steeds meer moeite met het grijpen naar, pakken en vasthouden van allerlei zaken. De ziekte kruipt als het ware in het lichaam omhoog totdat ook bijvoorbeeld de handen trillen, de ogen niet goed meer objecten kunnen volgen en de spraak is aangedaan: men spreekt als het ware met een slepende tong. Weer iets verder in het ziekteverloop worden de patiënten bedlegerig en kunnen ze niet meer zonder hulp lopen, ze beginnen te lijden aan tremor (schuddende bewegingen van de ledematen), ze gaan ondertussen geestelijk sterk achteruit en ze worden uiteindelijk dement. In het eindstadium van de ziekte liggen de patiënten verlamd en machteloos op bed want ze kunnen niet meer staan en niet meer praten, ze laten urine en ontlasting gewoon lopen en uiteindelijk sterven ze.

Tussen 1957 en 1968 overleden liefst 1100 leden van de Fore-stam aan deze ziekte. De slachtoffers waren vooral vrouwen, kinderen en oude mannen. Verschillende antropologen braken zich het hoofd over deze merkwaardige epidemie en vroegen zich af of er geen besmettelijke ziekte in het spel kon zijn, en waar men in dat geval de besmettingsbron moest zoeken. Als er zoiets extreems binnen één bevolkingsgroep optreedt, probeert men via het vergelijken van alle mogelijke soorten gedrag, cultuur en erfelijke achtergrond te achterhalen welke gemeenschappelijke factor of handeling verantwoordelijk is voor de ellendige toestand. Erfelijke factoren werden al gauw verworpen en uiteindelijk bleken alle slachtoffers te zijn betrokken bij een merkwaardige gewoonte. In de cultuur van de stam werden de lichamen van overledenen door vrouwen in stukken gesneden. De spieren werden van de ledematen verwijderd. Ook de hersenen werden uit de schedel verwijderd en de organen uit de borst- en buikholte. Stukjes van de spieren en de hersenen werden als voedsel bereid en opgegeten door de vrouwen, kinderen en ouderen. Langs deze weg werden stoffen die we tegenwoordig aanduiden als *prionen* doorgegeven van het overleden slachtoffer aan het volgende. Volgens de theorie zijn het de prionen die de hersenen aantasten. Toen deze vorm van kannibalisme (aangeduid met *necrofagie*) werd verboden daalde het aantal nieuwe gevallen van de ziekte in rap tempo. Helaas kan er lange tijd verlopen tussen het moment van infectie en het moment dat de ziekte zich openbaart, want er sterven op dit moment nog steeds mensen in Papoea Nieuw-Guinea aan kuru.

Ook in onze eigen omgeving is deze ziekte bekend. Ze heet bij ons officieel *spongiforme encephalopathie* en ze werd bij de mens voor het eerst beschreven door de Duitse neurologen Creutzfeldt en Jakob. Bij schapen en runderen komt de ziekte ook voor en heet dan *scrapie* en BSE (*bovine spongiforme encephalopathie*). Het griezelige is dat BSE via vleesproducten in ons eigen eten terecht kan komen en ons de ziekte van Creutzfeldt-Jakob kan bezorgen.

3.9 Lijkbezorging in andere culturen

Islam
De koran bereidt haar lezers voortdurend voor op hun levenseinde. Bij hun dagelijks terugkerende gebeden worden moslims steeds aan de dood en het hiernamaals herinnerd. Het leven is eenmalig en de stervende kan door gebed met zichzelf en met Allah in het reine komen en zich aldus voorbereiden om het paradijs binnen te gaan. Stervenden worden, indien mogelijk, op de rechterzijde gelegd met het gezicht in de richting van Mekka zodat ze waardig kunnen overlijden. Zodra de betrokkene is overleden sluiten de aanwezigen de ogen en bidt men gezamenlijk. Hierna wordt het lichaam ritueel gewassen met water waaraan geurige stoffen zijn toegevoegd. Mannen worden door mannen gewassen, vrouwen door vrouwen. Het stoffelijk overschot wordt drie keer gewassen en hierna in grote witte doeken gewikkeld en naar de moskee overgebracht. Wordt het stoffelijk overschot gekist, dan wordt het bij voorkeur ook weer op de rechterzijde gelegd.
In de islamitische wereld (en trouwens ook bij de joden) is het verplicht het stoffelijk overschot binnen 24 uur te begraven. Crematie is niet toegestaan. De buitenwereld reageert altijd verbaasd op de schielijke haast waarmee men in het Midden-Oosten een begrafenis organiseert. In ons land met zijn koele klimaat immers mag men pas begraven na 36 uur. In warmere klimaten gaan stoffelijk overschotten echter veel sneller tot ontbinding over, waardoor het zaak is enige spoed achter de begrafenis te zetten. Moslims willen graag begraven worden in het land van herkomst, en liefst zonder kist. Turken en Marokkanen in Nederland begraven hun overledenen bijna altijd in het land van herkomst. Bij de begrafenis dragen de mannen de baar met het lijk. In fundamentalistische kringen mogen vrouwen niet bij de begrafenis zijn.

Hindoeïsme

In de hindoeïstische cultuur verlaat de ziel volgens de leer van de *reïncarnatie* bij het sterven het stoffelijk omhulsel en gaat zij op zoek naar het volgende omhulsel. Na een aantal reïncarnaties komt de ziel terecht in het einddoel, de Brahm. Het lichaam is in het hindoeïsme veel minder belangrijk dan de ziel. Om deze reden wordt aan het lichaam van de overledene minder aandacht besteed dan in veel andere culturen. Immers, de begrafenis dient om een snelle en comfortabele overgang van de ziel van het ene (aardse) bestaan naar de volgende reïncarnatie te bewerkstelligen.

Als een Hindoe op sterven ligt komt de hele familie rond de stervende bijeen. Een zoon of andere mannelijke bloedverwant giet een klein beetje water uit de heilige rivier de Ganges op de lippen van de stervende. De oudste zoon legt hierna een blad van de basilicumstruik in de mond van de stervende. Een hindoe-priester bidt hierna samen met de aanwezigen.

Het lichaam wordt vrijwel onmiddellijk na het overlijden naar een rouwcentrum gebracht, afgelegd, gereinigd en gekleed in een speciale doek of sari. Tegenwoordig kleedt men mannen ook wel in een keurig pak. Voorafgaand aan de crematie vindt een plechtigheid plaats. Symbolen van de vijf elementen water, aarde, vuur, lucht en ether worden bij het lichaam geplaatst tezamen met bloemenkransen, geurige stoffen en rijstkorrels.

Bij westerse crematies is de herdenkingsplechtigheid afgelopen zodra de kist uit het zicht verdwijnt. Bij Hindoes is dit anders. De hele familie begeleidt het stoffelijk overschot naar de verbrandingsplaats of -oven, want normen en waarden schrijven voor dat men de crematie ook daadwerkelijk meemaakt. Meestal schuift een zoon de kist in de oven om de crematie te laten beginnen. De as wordt na de crematie altijd verstrooid, het liefst boven de Ganges in India.

In India zelf worden de lichamen van overledenen aan de oevers van de Ganges gecremeerd op plaatsen die *ghats* worden genoemd. Een ghat is een plateau of een trap aan het water. De heilige stad Varanasi telt maar liefst 19 ghats, allemaal gelegen op de westelijke oever van de Ganges. Er zijn ghats om te baden en ghats om stoffelijk overschotten volgens hindoe-gewoonte te cremeren. Overdag is het een drukte van jewelste omdat vrome Hindoes de trappen afdalen om een bad te nemen in de heilige rivier terwijl gelijktijdig op de oevers tientallen stoffelijk overschotten worden verbrand. Het cremeren van lichamen op de ghats gaat overigens 24 uur per dag door. Brandhout is schaars en duur. Lichamen van overledenen werden en worden nog steeds vaak zonder veel omhaal aan het heilige water toevertrouwd. Om wantoestanden tegen te gaan en ontbossing af te remmen heeft de regering van India de laatste jaren een aantal elektrische crematoria in Varanasi laten bouwen. Hierdoor is het aantal crematies aan de oever van de Ganges afgenomen en worden er tegenwoordig minder half verbrande lichamen in het water geworpen. De waterschildpadden en krokodillen in de Ganges leven overigens nog steeds goed van de ongeveer 45000 hele en halve lichamen die per jaar in de heilige rivier worden gedeponeerd.

Boeddhisme
In het boeddhisme kent men meer variaties op het thema begraven. De Tibetaanse, Chinese, Thaise en Birmese boeddhisten houden er allemaal verschillende begrafenisculturen op na. Meestal wordt het lichaam van de overledene gecremeerd. In het oor van de stervende worden de namen van Boeddha gefluisterd opdat de stervende zich kan laten gaan terwijl hij zich bewust is van de boodschap van Boeddha. Men legt soms een stukje papier in de mond van de stervende waarop in lettergrepen het concept van het Nirvana is aangegeven. Als de dood is ingetreden treurt men hardop om de omgeving erop attent te maken dat de geliefde is overleden. Water wordt over de handen van de overledene gesprenkeld en het lichaam wordt ritueel gebaad. Hierna plaatst men het lichaam in een open kist tezamen met bloemen, kaarsen, wierookstaafjes en een foto van de overledene toen hij nog in leven was. Er is geen limiet aan de tijd waarbinnen het lichaam moet worden gecremeerd. Soms wordt het stoffelijk overschot wel een week opgebaard, met name als familie voor de uitvaart van ver moet komen. Gedurende de opbaringsperiode wordt regelmatig gebeden en gezongen door familie of door ingehuurde monniken en viert men 's avonds feest. Na de crematie vindt vaak een groot slotfeest plaats.
Misschien is de Chinese boeddhistische begrafeniscultuur wel het meest interessant. Volgens de traditionele Chinese boeddhistische cultuur duurt een begrafenisceremonie liefst 49 dagen, tenminste als de

familie van de overledene het allemaal kan bekostigen, met name de dochters die de rekeningen moeten betalen. Pragmatisch als boeddhisten zijn wordt de ceremonie bij geldgebrek een stukje ingekort. De eerste zeven dagen van de rouwperiode zijn het belangrijkst. Er wordt dan iedere dag ceremonieel gebeden. Daarna wordt om de tien dagen een ceremoniële gebedsdienst gehouden tot in de laatste week de eigenlijke begrafenisceremonie plaatsvindt.

3.10 Zeemansgraf

Voordat het straalvliegtuig een einde maakte aan het tijdperk van de grote passagiersschepen met hun lange reizen over zee naar Amerika of naar Indië, verbleven drommen reizigers, emigranten en slaven vaak lange tijd opeengepakt op zeilschepen en stoomboten op zee voordat ze bij hun bestemming kwamen. Er stierven aan boord regelmatig mensen en hun stoffelijk overschot werd dan aan de zee toevertrouwd. Voor het tijdperk van de oceaanstomers waren het vooral de zeelieden zelf die, geplaagd door slechte voeding, scheurbuik, ontbering, tropische ziekten en ongelukken in aanzienlijke aantallen op zee het leven lieten. Een zeemansgraf, dat wil zeggen het met of zonder enig ceremonieel overboord zetten van een stoffelijk overschot, komt tegenwoordig nog wel voor, maar is wettelijk niet toegestaan binnen de Nederlandse territoriale wateren en de wateren waarover Nederland soevereine rechten uitoefent. De kans dat het lijk na enige tijd op het strand aanspoelt is te groot. Het uitstrooien daarentegen van de as van een gecremeerd persoon uit een vliegtuig boven zee of vanaf een schip op zee is uitdrukkelijk wél toegestaan. Als iemand op volle zee overlijdt, mag het lichaam aan een zeemansgraf worden toevertrouwd, maar mag het stoffelijk overschot ook gebalsemd of diepgevroren naar de thuishaven worden vervoerd om daar te worden begraven of gecremeerd. Dit gebeurde al in 1805 met het stoffelijk overschot van de grote Engelse admiraal Horatio Nelson. Deze zeeheld werd tijdens de slag bij Trafalgar tegen de vloot van Napoleon (21 oktober 1805) dodelijk getroffen door een kogel uit het geweer van een Franse scherpschutter. In tegenstelling tot de duizenden gesneuvelde matrozen en officieren die een gewoon zeemansgraf kregen werd het lichaam van de admiraal op zijn verzoek niet overboord gegooid maar naar Engeland gebracht om daar onder overweldigende belangstelling te worden begraven in St. Paul's Cathedral. De scheepsarts had een milieuvriendelijke oplossing gevonden om de ontbinding van het lichaam van de gesneuvelde admiraal te voorkomen. Het stoffelijk overschot bracht de reis van Trafalgar naar Londen door in een vat rum.

Volgens de traditie wordt een lichaam dat een zeemansgraf krijgt in zeildoek of canvas genaaid en hierna op een esthetisch verantwoorde manier aan de golven toevertrouwd. Een kist wordt zelden gebruikt omdat die de neiging heeft te blijven drijven. Mocht het tóch noodzakelijk zijn om een kist te gebruiken, dan dient deze uit dun hout te zijn vervaardigd. Bij de begrafenisceremonie is het gebruikelijk dat het stoffelijk overschot is bedekt met de nationale vlag. Samen met het lijk wordt in het zeildoek een verzwaring aangebracht. Het zeildoek is om te voorkomen dat het stoffelijk overschot meteen door haaien of aasvissen wordt aangevreten. De verzwaring dient om te voorkomen dat het geheel gaat drijven zodra gasvorming bij het ontbindingsproces het drijfvermogen vergroot. Zoals u eerder hebt kunnen lezen zinkt het lichaam van iemand die door verdrinking om het leven is gekomen eerst naar de bodem. De huid wordt tijdens het ontbindingsproces wit en zacht. In koud water zoals dat van de Noordzee kan vorming van adipocire plaatsvinden waardoor het veel langer duurt voordat het lichaam volledig is ontbonden. In warmere, subtropische of tropische wateren duurt het niet lang voordat het ontbindingsproces in volle gang is. De huid valt spoedig in witte flarden los, gasvorming in de buikholteorganen doet het lijk zwellen zodat het weer naar het oppervlak komt, en het duurt hierna niet lang of het stoffelijk overschot valt in stukken uiteen.

Scheepswrakken waarin zich de stoffelijk overschotten van bemanningsleden of passagiers bevinden kunnen door de autoriteiten tot zeemansgraf worden verklaard. Het wrak staat in dat geval wettelijk gelijk met een begraafplaats. Het verstoren of plunderen van het wrak wordt in dit geval door het gezag beschouwd als grafschending en grafroof.

Hoofdstuk 4

De derde bestemming: ontleding

4.1 Toestemming tot ontleding

De derde bestemming die een stoffelijk overschot kan hebben is nauwkeurig vastgelegd in de Wet op de Lijkbezorging. In artikel 67, eerste lid van deze wet staat: 'Een lijk kan in het belang van de wetenschap of het wetenschappelijk onderwijs worden ontleed'. Lid twee van dit artikel vervolgt: 'Ontleding geschiedt slechts indien de overledene zijn lijk daartoe heeft bestemd'. U kunt dus gerust zijn. Na uw heengaan kan uw stoffelijk overschot niet zomaar ten prooi vallen aan het scalpel van de anatoom of de medische student. Er is altijd nadrukkelijke toestemming van uw kant voor nodig.

Let op dat ontleding heel iets anders is dan orgaandonatie (die uitgebreid wordt behandeld in hoofdstuk 5). Bij orgaandonatie worden organen operatief uit het lichaam van een zojuist overleden donor verwijderd, gekoeld en zo snel mogelijk operatief overgeplaatst in het lichaam van de gastheer of -vrouw die hierdoor nieuwe levenskansen krijgt.

Ontleding vindt daarentegen pas plaats nadat het stoffelijk overschot is vervoerd naar de geneeskundefaculteit van een van de academische medische centra van ons land, vervolgens van top tot teen is gebalsemd en daarna meestal een tijd is bewaard. Door de balseming zijn de lichamen en de organen die zich in die lichamen bevinden volledig geconserveerd en hierdoor niet meer geschikt voor donatie. Ze worden voornamelijk gebruikt voor onderwijs aan artsen in opleiding. Er is nadrukkelijke en ondubbelzinnige toestemming voor ontleding nodig.

Die toestemming moet u zelf geven. U kunt uw toestemming uit de aard der zaak alleen maar verlenen zo lang u nog leeft en u moet bovendien geestelijk volkomen in orde zijn, anders wordt uw toestemming niet geaccepteerd.

Waarom zou u eigenlijk toestemming geven tot ontleding? Er is een aantal redenen waarom mensen hun lichaam na hun overlijden nalaten aan de wetenschap. In de eerste plaats zijn er mensen, en daar is de medische wetenschap hen heel dankbaar voor, die uit ideële overwegingen en uit overwegingen van maatschappelijke verantwoordelijkheid hun stoffelijk overschot doneren aan een geneeskundefaculteit. Na hun dood immers wordt het stoffelijk overschot niet nutteloos in de grond gestopt om daar in alle rust en stilte te verteren, of in een crematorium tot as verbrand, maar het dient om artsen op te leiden. Men geeft dus een stukje meerwaarde aan het eigen stoffelijk overschot waar toekomstige generaties baat bij hebben. Dan zijn er de mensen die geen zin hebben in de aanzienlijke kosten van een begrafenis, of die hun kinderen of verwanten niet willen opschepen met de kosten ervan. In het geval van donatie voor ontleding draait namelijk de desbetreffende universiteit voor de kosten van transport naar het anatomische instituut op. Er zijn ook mensen die kind noch kraai op deze wereld bezitten en die in ontleding een nuttige bestemming voor hun stoffelijk overschot zien. Tot slot zijn er mensen die uit esthetische overwegingen hun lichaam ter beschikking stellen aan de medische wetenschap: ze vinden ontleding een schone oplossing in vergelijking met het ontbindingsproces in de grond of het verbrandingsproces in de oven van een crematorium.

Het klinkt een beetje luguber, maar er is voortdurend behoefte aan stoffelijk overschotten voor ontleding. De tijd dat een anatoom alleen kon beschikken over lijken van opgehangen misdadigers en van overleden zwervers en naamlozen ligt gelukkig ver achter ons.

Op 12 september 1870 werd in Nederland bij wet de doodstraf in de normale rechtspraak afgeschaft. Sindsdien zijn er in ons land alleen door de bezetter tijdens de Tweede Wereldoorlog een aantal personen geëxecuteerd, en op grond van militaire rechtspraak tijdens en op grond van bijzondere rechtspraak onmiddellijk na de Tweede Wereldoorlog. De lijken van al deze geëxecuteerden zijn begraven of gecremeerd.

De stoffelijk overschotten die de universitaire anatomische instituten nodig hebben worden met name gebruikt voor de opleiding van artsen, chirurgen, bewegingswetenschappers en fysiotherapeuten. Een beginnend arts moet goed op de hoogte zijn van de details van de bouw en van de werking van het menselijke lichaam. Hij kijkt immers tegen de buitenkant van de patiënt aan en om een goede diagnose te kunnen stellen moet hij precies weten welke organen zich bevinden onder de plek waar hij zijn stethoscoop plaatst of waar hij veranderingen opmerkt. Voor het afronden van de diagnose maakt een arts gebruik van röntgenfoto's en van moderne technische hulpmiddelen als CT- en MRI-scans. Al deze apparaten maken afbeeldingen in het platte vlak. Voor het beoordelen van zulke afbeeldingen moet de behandelende arts drommels goed op de hoogte zijn van de driedimensionale bouw van het menselijke lichaam. Vandaar dat een geneeskundestudent tijdens zijn opleiding voortdurend met de anatomie van het menselijke lichaam bezig is. Er is een tijd geweest dat zo'n student gedurende de eerste twee jaar van de opleiding dikke atlassen en beschrijvingen van de hele anatomie van de mens doorworstelde, en tijdens eindeloze anatomische practica lichamen van top tot teen bestudeerde waarbij elk botje, bloedvaatje, knobbeltje en kwabje bij zijn Latijnse naam gekend diende te worden.

Tegenwoordig is het onderwijs opgebouwd in blokken rondom een bepaald thema en wordt het onderdeel anatomie behandeld dat hoort bij dat thema. In het blokonderwijs komen tijdens colleges patiëntdemonstraties aan de orde, daarnaast zijn er werkgroepen, en indien nodig is er terugkoppeling via het anatomisch practicum. Het is nog maar kort geleden dat er computers op de snijzaal zijn geplaatst en dat anatomisch onderwijs ook via internet is te volgen. Sporadisch worden stoffelijk overschotten in een anatomisch instituut gebruikt bij nascholingscursussen van medische specialisten en worden er demonstratielessen gegeven aan medisch-biologen en aan verpleegkundigen. Een heel enkele keer wordt aan een verzoek van kunstopleidingen voldaan om de anatomie van met name het spierstelsel en het skelet te mogen bestuderen.

4.2 Anatomisch instituten

De academische medische centra van Groningen, Utrecht, Amsterdam, Leiden, Nijmegen, Rotterdam en Maastricht hebben een anatomisch instituut. Eén telefoontje naar een van deze instituten is voldoende om de procedure voor het doneren van uw (toekomstige) stoffelijk overschot in gang te zetten. Men zal u verzoeken contact met uw huisarts op te nemen om uw overwegingen goed door te spreken. Verder krijgt u een voorbeeld van een wilsbeschikking (codicil voor ontleding) toegestuurd, die u met de hand dient over te schrijven, te voorzien van uw persoonlijke gegevens, de datum en uw handtekening. U stuurt het originele exemplaar naar het anatomisch instituut, een kopie gaat in het dossier van uw huisarts en een kopie houdt u zelf. U kunt de beschikking ten alle tijde intrekken waardoor u dus niet aan uw beslissing vastzit als u van gedachten verandert. In elk anatomisch instituut is een speciale kluis waarin de wilsbeschikkingen worden bewaard en er is een aparte functionaris belast met het bijhouden van het register.

Nu is het zo dat elk anatomisch instituut niet iedereen zonder meer accepteert als toekomstig stoffelijk overschot voor ontleding. Stel dat iedereen zich beschikbaar zou stellen voor ontleding na het overlijden. Dat kan natuurlijk niet, want de mogelijkheden van een anatomisch instituut zijn beperkt en helemaal gericht op het aantal stoffelijk overschotten dat nodig is voor het onderwijs. Er worden in ons land per jaar ongeveer 2000 artsen opgeleid en voor het ontleedkundig practicum zijn hiervoor jaarlijks ongeveer 600 stoffelijk overschotten nodig (gemiddeld 75 lichamen per anatomisch instituut). Het register van elk anatomisch instituut heeft een zodanige omvang dat men kan verwachten dat er, gebaseerd op de normale bevolkingsstatistieken, per jaar rond 75 geregistreerde personen overlijden en hun stoffelijk overschot ter beschikking komt. Er is geen gebrek aan lichamen en het aantal aanmeldingen is heel constant. Hoe dit komt is niet echt goed onderzocht. Wellicht moet de oorzaak van het ruimere aanbod van beschikkingen worden gezien in de onbaatzuchtigheid van de gemiddelde Nederlander en misschien ook wel in de voortschrijdende ontkerkelijking.

4.3 Na het overlijden

Stel dat u op een gegeven moment overtuigd bent geraakt dat u door middel van ontleding van uw lichaam na uw overlijden een duidelijke, zij het posthume, maatschappelijke bijdrage kunt leveren. U hebt de eerste stap genomen, contact gelegd met een anatomisch instituut, een wilsbeschikking tot ontleden overgeschreven, ondertekend en opgestuurd naar het instituut van uw keuze. Dit codicil is hierna geaccepteerd en uw naam is in het register bijgeschreven. Vele jaren later overlijdt u. Op dat moment neemt meestal de huisarts of een bloedverwant contact op met het anatomisch instituut. De medewerker belast met de registratie van de wilsbeschikkingen wordt ingelicht, uw codicil uit de kluis gehaald en er wordt onmiddellijk een faxbericht gestuurd aan de burgemeester van de gemeente waarin u bent overleden. Deze gezagsdrager moet namelijk volgens de Wet op de Lijkbezorging toestemming geven voor ontleden. Zodra de toestemming binnen is wordt een begrafenisondernemer opgebeld om het stoffelijk overschot met spoed op te halen. Snelheid is immers van belang om te voorkomen dat het lichaam tot ontbinding overgaat. Immers, een van de belangrijkste doelen van ontleding is het laten bestuderen door artsen in opleiding van de bouw en onderlinge ligging van de inwendige organen. Dit gaat alleen maar goed als de inwendige organen in goede staat zijn en dus goed zijn geconserveerd. En dat conserveren gebeurt in het anatomisch instituut. Niet zo lang geleden sjouwde het dienstdoende mortuariumpersoneel van anatomische instituten nog hele weekenden thuis rond met loodzware semafoons om zich desnoods in het holst van de nacht naar het instituut te spoeden om de achterdeur open te maken voor een begrafenisondernemer die een lichaam kwam brengen. Tegenwoordig gaat het er dankzij koeltechnische hulpmiddelen allemaal minder hectisch aan toe. Het mortuariumpersoneel beschikt over een mobiele telefoon, en als er een geregistreerde donor vroeg in het weekend overlijdt wordt het stoffelijk overschot meestal overgebracht naar een gekoelde ruimte bij de begrafenisonderneming en wordt het daarna vroeg op de eerstvolgende werkdag naar het instituut gebracht. Net zoals de leveranciers bij een ziekenhuis hun goederen aan de achterdeur afleveren, levert de begrafenisondernemer discreet zijn vrachtje af bij het mortuarium van het anatomisch instituut via de achterdeur van de medische faculteit.

4.4 Het anatomisch bedrijf: mortuarium

De lichamen van overledenen worden ontvangen en bewaard in het mortuarium. Bij de meeste universiteiten in binnen- en buitenland die ik heb bezocht bevindt het mortuarium zich in de kelder van het gebouw van de medische faculteit of van het anatomisch instituut. Daar is een hele goede, historische reden voor. Door de omringende aarde is de temperatuur van kelders laag en gelijkmatig. Dit waren vroeger belangrijke voorwaarden om stoffelijk overschotten te kunnen bewaren. Sinds zo'n honderd jaar is er goede en betrouwbare koelapparatuur voorhanden en is het eigenlijk niet meer per se nodig om een mortuarium in een kelder te situeren, maar traditie wordt bij anatomen graag in ere gehouden en verder is het gewoon praktisch.

Een anatomisch instituut bestaat uit laboratoria waarin onderzoek wordt gedaan, werkruimten voor de hoogleraar, het secretariaat en het wetenschappelijke en overige personeel, meestal een vergaderruimte, een snijzaal en een mortuarium. Het mortuariumgedeelte omvat koelcellen om stoffelijk overschotten op te slaan, een obductiekamer, een of meerdere snijzalen, werk- en bergruimten, een kantoortje en soms een apart laboratorium waar een preparateur of amanuensis op een verantwoorde manier demonstratiepreparaten kan vervaardigen en anatomische modellen kan repareren. Ook skeletten en onderwijsmodellen slijten en hebben zo nu en dan een onderhoudsbeurt nodig. De luchtverversing van het mortuariumgedeelte is gescheiden van dat van de overige gedeelten van het gebouw en omdat de overheid de laatste twintig jaar strenge milieueisen stelt is ook de riolering apart aangelegd.

De obductieruimte is een kamer die speciaal is ingericht om stoffelijk overschotten te conserveren. De vloer en de wanden zijn betegeld, er is een roestvrijstalen obductietafel, warm en koud stromend water, perslucht en vacuümaansluitingen, en er is een opslagvat met conserveringsvloeistof. Nadat de kist met het donorlichaam door het personeel van de begrafenisonderneming is overgebracht naar de obductieruimte wordt de kist geopend en het lichaam op de obductietafel gelegd. Het mortuariumpersoneel draagt bij het balsemwerk altijd beschermende kleding, een gelaatsmasker en chirurgische handschoenen. Immers, elk lichaam kan drager zijn van een besmettelijke ziekte. Eerst wordt het lichaam geïnspecteerd en, indien nodig, gereinigd en geschoren. Daarna wordt het lichaam geconserveerd. In tegenstelling tot de conserveringsvloeistof van de begrafenisondernemer, die in de eerste plaats cosmetisch moet zijn, is dat van de anatoom samengesteld om de lichaamsweefsels zodanig te conserveren dat niet alleen de buik- en borstorganen maar ook de spieren van het bewegingsapparaat en de hersenen goed geconserveerd zijn en tegelijk hun vorm behouden en goed te bewerken zijn. De spieren moeten goed geconserveerd zijn maar ze mogen niet te stevig zijn geconserveerd.

Voor het conserveren van het stoffelijk overschot wordt gebruik gemaakt van het bloedvaatstelsel. Dit stelsel fungeert bij leven en welzijn als de transportweg van alles wat er in het lichaam getransporteerd moet worden. Na het overlijden stolt het bloed niet. Het vaatstelsel is dus een ideale weg om conserveringsmiddel snel tot in alle uithoekjes van het lichaam te brengen en dit alles zonder ernstige ingrepen te hoeven doen die de samenhang van het lichaam zouden kunnen verstoren.

In het bovenbeen, vlak onder de lies, wordt een snede gemaakt boven de plaats waar de bovenbeenslagader zich bevindt. Hierna wordt deze slagader opgezocht. In de lies ligt namelijk de overgang van de liesslagader naar de bovenbeenslagader vlak onder de huid. Plaats maar eens een vinger op uw eigen lies en u voelt het bloed in de slagader kloppen. Ze is dus bereikbaar met een minimum aan ingreep. De slagader ligt in de lies naast de liesader en ze is gemakkelijk van de liesader te onderscheiden omdat de slagader een wand heeft die veel dikker en elastischer is dan die van de liesader. De dikte van het bloedvat is ongeveer gelijk aan die van uw ringvinger. In de vrijgelegde bovenbeenslagader wordt een holle naald ingebracht (een canule) die wijst in de richting van de liesslagader en het verlengde daarvan, de lichaamsslagader. De canule wordt hierna met chirurgisch hechtdraad op zijn plaats vastgezet. Omdat het conserveringsmiddel het bloed laat stollen wordt via de naald eerst een paar deciliter zoutoplossing met wat bloedstollingsremmer ingebracht en daarna pas het conserveringsmiddel. Door een lichte overdruk te handhaven duwt deze vloeistof als het ware het bloed in de lichaamsslagader voor zich uit, richting hart. Via de vaatvertakkingen van de lichaamsslagader bereikt de conserveringsvloeistof alle organen van de buik- en borstholte, het hoofd en de armen. De richting waarin de conserveringsvloeistof stroomt is in de lichaamsslagader eigenlijk tegengesteld aan de normale stroomrichting van het bloed, maar omdat de lichaamsslagader geen kleppen bezit is dit geen bezwaar. Er worden enkele liters conserveringsvloeistof ingebracht. Het been waarin de canule is aangebracht wordt apart geconserveerd door de naald uit de bovenbeenslagader te trekken en opnieuw in te brengen, maar nu in tegengestelde richting. Het hele proces van het inbrengen van het conserveringsmiddel duurt één tot anderhalf uur. Hierna wordt de bovenbeenslagader met chirurgisch hechtdraad dichtgemaakt, het stoffelijk overschot nogmaals gecontroleerd en vervolgens naar de naastgelegen gekoelde opslagruimte vervoerd.

Er zijn verschillende manieren van opslag. De traditionele manier van opslaan is de 'natte' opslag in een grote kunststof kist gevuld met iets gewijzigde conserveringsvloeistof (bewaarvloeistof). U begrijpt dat voor natte opslag heel veel bewaarvloeistof nodig is. In deze bewaarvloeistof zitten bacterie- en schimmeldodende middelen (*biociden*, *fungiciden*) die, indien ze via het riool in het milieu vrijkomen, schade kunnen toebrengen aan de micro-organismen in de waterzuiveringsinstallatie van de gemeente. Op grond hiervan is het in het kader van de milieuwetgeving niet (meer) toegestaan om ongelimiteerd bewaarvloeistof op het riool te lozen. En toch moet ook bewaarvloeistof soms ververst worden. Om de hoeveelheid bewaarvloeistof sterk te beperken is men in verschillende anatomische instituten ertoe overgegaan om stoffelijk overschotten te bewaren in grote plastic zakken gevuld met een bodempje bewaarvloeistof. Dit is voldoende omdat het eigenlijke conserveringsmiddel al via het bloedvaatstelsel tot in alle hoekjes van het lichaam is doorgedrongen. Om het conserveringsmiddel de kans te geven zijn werk volledig te doen, maar vooral ook om mogelijke ziektekiemen letterlijk in de kiem te smoren worden de lichamen gedurende driekwart jaar in quarantaine opgeslagen. Microbiologisch onderzoek heeft aangetoond dat de stoffelijk overschotten na deze periode in biologisch opzicht volkomen steriel zijn geworden. De studenten en hun begeleiders lopen dus tijdens het snijpracticum geen risico om besmet te worden met een akelige ziekte indien ze zichzelf tijdens het snijden per ongeluk verwonden. Het mortuariumpersoneel loopt dat risico wél en wordt hierom elk half jaar via een bloedonderzoek door de bedrijfsarts gecontroleerd.

4.5 Conserveringsmiddelen

Hoe conserveer je een lijk? De anatomen van het eerste uur bezaten niet zoveel mogelijkheden als tegenwoordig. Stoffelijk overschotten werden niet gebalsemd. Speciale balsemvloeistoffen bestonden nog niet, conserveren deed men door in te leggen in zout (pekelen) of suiker en door het plaatsen van stukjes weefsel in alcohol. In China gebruikte men kwikzouten. Openbare en besloten anatomische demonstraties werden in de zeventiende en achttiende eeuw alleen 's winters gegeven, eenvoudigweg omdat 's zomers de lichamen vrijwel meteen tot ontbinding overgingen en er dus al snel weinig meer te demonstreren viel en de stank niet meer te harden was. Indien er een interessant orgaan of stukje weefsel werd gevonden plaatste men het *specimen* in een pot met alcohol. Net zoals in het museum Naturalis in Leiden allerlei dieren in grote glazen potten (gevuld met alcohol) tentoongesteld zijn, kunt u in de anatomische collecties van diverse anatomische instituten, en in de anatomische musea van de universiteiten van Leiden en Nijmegen organen en kunstig geprepareerde delen van mensen bewonderen, tot hoofden toe, bijna allemaal in potten met alcohol.
Alcohol (ethanol) is geen ideaal conserveringsmiddel. Weefsels worden keihard, krimpen en verkleuren. Alcohol is bovendien uiterst brandbaar, het verdampt snel en het bedwelmt degene die er met zijn neus een tijdje of een hele middag boven hangt. Stelt u zich een snijzaal voor met twintig lichamen waaruit voortdurend alcohol verdampt. Reken maar dat de studenten er licht in het hoofd van zouden worden. Maatregelen om kwalijke alcoholdampen te bestrijden komt u nog wel tegen. Snijzalen uit de negentiende eeuw en vroege twintigste eeuw waren namelijk niet met mechanische ventilatie uitgerust. In West-Europa zijn alle anatomische instituten gemoderniseerd en uitgerust met uitgekiende luchtafzuiginstallaties, maar hier en daar in Midden-Europa komt u zo'n oude snijzaal nog wel tegen. Als u zo'n antieke snijzaal binnenkomt ziet u dat ze een heel hoog plafond hebben en dat

alle ramen grote bovenlichten hebben waardoor heel veel verse buiten-lucht voortdurend als een ware vloedgolf naar binnen komt. U begrijpt nu wellicht waarom men toen zo bouwde. Alcohol is niet alleen schadelijk maar ook razend duur en men moet de voorraad altijd achter slot en grendel bewaren want pure alcohol is voor veel mensen een onweerstaanbaar stofje waarvan men maar al te graag een beetje voor privédoeleinden leent.

Een collectie die bestaat uit preparaten 'op alcohol' heeft bovendien veel zorg nodig. Als de amanuensis in een poging om verdamping te verhinderen een pot hermetisch afsluit, bestaat de kans dat deze op een kwade, warme zomerdag explodeert of dat op zijn minst de deksel door de druk van de alcoholdamp wordt gelanceerd. Een pot alcohol mag dus om deze reden nooit geheel worden gesloten. De conservatoren van de anatomische musea in Leiden en Nijmegen hebben er dan ook een halve dagtaak aan om hun collecties voortdurend bij te vullen, want anders drogen de preparaten uit en zijn ze onbruikbaar geworden. De werkbank van de conservator heeft een optimale afzuiging en een grote brandblusser staat binnen handbereik.

Als u stoffige anatomie-vaktijdschriften van om en nabij het jaar 1900 inkijkt loopt u een goede kans artikelen tegen te komen waarin men juichend de goede, conserverende eigenschappen van formaldehyde bespreekt. Gepolymeriseerd formaldehyde is een wit poeder dat oplost in water. Men bereidt een formaldehyde-oplossing door gepolymeriseerd formaldehyde met water te mengen en onder goed roeren te verwarmen tot ongeveer zeventig graden. Door een paar druppeltjes natronloog toe te voegen lost het formaldehyde op en na afkoeling hebt u formaline. De moderne conserveringsmiddelen bestaan uit 2-4% formaline. Toevoegingen zijn wat alcohol, een aantal mineralen om met name de spieren soepel te houden, en voorts bacterie- en schimmeldodende middelen. Net als zijn thanatopraxie-collega bij de begrafenisondernemer doet de chef van elk mortuarium geheimzinnig over de exacte samenstelling van 'zijn' conserveringsmiddel.

Formaline is goedkoop, brandt en explodeert niet (formaldehydepoeder kan onder omstandigheden ontleden door middel van een stofexplosie), is in hogere concentraties bacterie- en schimmeldodend en vormt geen explosieve dampen. Het stofje is een zeer goed conserveringsmiddel en wordt al sinds 1900 gebruikt als fixatief in pathologische, anatomische en diergeneeskundige laboratoria, kortom overal waar menselijk of dierlijk weefsel wordt bewerkt tot preparaten voor microscopisch onderzoek. In tegenstelling tot alcohol werkt formaldehyde sterk prikkelend op ogen, neus en slijmvliezen. Deze prikkeling wordt veroorzaakt door spoortjes mierenzuur die worden gevormd door oxidatie aan de lucht van het formaldehyde. Dit is ook meteen een nadeel: formaline heeft de neiging verder te oxideren tot mierenzuur. Dit laatste zuur is geen conserveringsmiddel, het riekt, prikkelt de slijmvliezen en het verlaagt de zuurgraad van het conserveringsmiddel waardoor kalk uit het botweefsel oplost. Maatregelen om het prikkelende effect van formaline tegen te gaan zijn lagere formalineconcentraties, afspoelen van de stoffelijk overschotten met veel water en het besprenkelen van het weefsel met een lichte ammonia-oplossing.

4.6 Het anatomisch bedrijf: practicum

De eerste keer dat een geneeskundestudent de snijzaal betreedt is men (60% meisjes, 40% jongens) behoorlijk zenuwachtig en gestresst. Dit is niet zo verwonderlijk omdat het voor de meesten de eerste keer is dat men wordt geconfronteerd met het dode menselijke lichaam. Voordat men de snijzaal binnenkomt heeft men eerst de handen grondig gewassen, sieraden en horloges afgedaan en opgeborgen, een witte jas aangetrokken, en zich met latex chirurgische handschoenen uitgerust. Mee naar de snijzaal gaan een anatomische atlas en de snijdoos met daarin grote en kleine scalpels, pincetten, schaartjes en een sonde. Men neemt uiteraard geen stethoscoop mee, want er valt niets aan een stoffelijk overschot te beluisteren. De lichamen die worden bewerkt liggen bedekt met een laken en ingepakt in zwart plastic folie klaar op de roestvrijstalen snijtafels. De zaal is zo goed verlicht en de verlichting zodanig ontworpen dat men, terwijl men gebogen over het lichaam aan het werk is, altijd een goed verlichte werkplek heeft. Meestal zijn er acht tot tien studenten per snijtafel plus een begeleider.
Na een inleiding waarbij het programma van de practicummiddag wordt doorgesproken en eventuele vragen worden gesteld, gaat men aan de slag. Tijdens het practicum in het blok bewegingsapparaat be-

staat een middagprogramma bijvoorbeeld uit het uitprepareren van de spieren van het boven- of onderbeen waarbij steeds wordt gekeken aan welke delen van het skelet de spier aanhecht, wat de mechanische bijdrage is van de spier bij een bepaalde beweging van het been, en wat er gebeurt als zo'n spier is verlamd. Tijdens een middag in het practicum orgaansystemen wordt bijvoorbeeld het hart uit de borstkas genomen, aan alle kanten geïnspecteerd, de kransslagaders vrijgeprepareerd en de oorsprong opgezocht, het hart geopend en de boezems, kamers, hartkleppen en grote vaten geïnspecteerd, het geleidingssysteem vrijgeprepareerd en tot slot gekeken of er afwijkingen zijn. Elk practicum wordt afgesloten met een nabespreking waarbij de voornaamste punten van de bewerkte organen worden behandeld zoals de plek waar de arts van buitenaf op de borst- of buikwand het orgaan het best kan onderzoeken (bijvoorbeeld het beluisteren met de stethoscoop van hartgeruis), de plaatsing van overige organen rondom het bestudeerde orgaan, de bloedvoorziening, de zenuwvoorziening, de lymfeafvoer en verder alles wat er nog meer van pas komt. De stukjes huid, bloedvaten, spieren, organen die uitgeprepareerd worden, kortom alle weefsels van het stoffelijk overschot komen uiteindelijk terecht in aparte verzamelvaatjes die samen met vaatjes risicoafval uit het ziekenhuis in een speciale oven worden verbrand.

4.7 Bestaande anatomische collecties

Onderwijscollecties van zorgvuldig uitgeprepareerde delen van menselijke lichamen, organen, skeletten et cetera zijn in Nederland aanwezig op de volgende plaatsen.
• Groningen: faculteit Geneeskunde: anatomisch museum
• Nijmegen: faculteit Geneeskunde: anatomisch museum
• Utrecht: faculteit Diergeneeskunde: diergeneeskundig museum
• Amsterdam: Koninklijke Nederlandse Academie van Wetenschappen: waspreparaten
• Amsterdam: faculteit Geneeskunde: anatomische collectie
• Leiden: faculteit Geneeskunde: anatomisch museum
• Leiden: Naturalis: natuurhistorisch museum met collectie geprepareerde organen van dieren

- Leiden: Museum Boerhaave met een gereconstrueerd *Theatrum Anatomicum*, skeletten en wassen anatomische modellen
- Maastricht: faculteit Geneeskunde: collectie embryologie-preparaten

4.8 Historische anatomische collecties

De collecties in de anatomische instituten zijn voor een gedeelte voortgekomen uit de rariteitenkabinetten uit de Gouden Eeuw en de periode direct daarna. In die tijden werden door personen van diverse pluimage verzamelingen aangelegd van allerlei biologische en niet-biologische zaken. Met name ging het hier om collecties planten, dieren en menselijke monstruositeiten als doodgeboren kindjes, Siamese tweelingen, verminkingen et cetera. Een van de meest beroemde anatomische collecties werd opgebouwd door Frederik Ruysch (1638-1731). Frederik begon zijn carrière als leerling-apotheker, studeerde geneeskunde in Leiden en behaalde zijn artsenbul in 1664. Tijdens zijn studie toonde hij een grote interesse voor de menselijke anatomie, voornamelijk verkregen door het snijden in lichamen van misdadigers die na hun executie waren begraven en daarna stiekem door een handlanger van Frederik opgegraven.

Frederik was een ondernemend type. Tijdens zijn medische-studiejaren had hij al in 1661 een eigen apothekerij in Den Haag geopend. In 1666 kreeg hij de vooraanstaande positie van voorsnijder bij het Chirurgijnsgilde in Amsterdam. Hij had in die functie ook te maken met het justitiële apparaat van de stad en het contact was kennelijk van zodanige kwaliteit dat hij in 1679 werd benoemd tot wat wij tegenwoordig forensisch patholoog-anatoom zouden noemen. In 1685 werd hij ten slotte benoemd tot professor in de plantkunde aan het *Athenaeum Illustre* van Amsterdam. Hij was getrouwd en kreeg twaalf kinderen. De grootste prestatie van Ruysch is niet zijn kinderschaar maar de enorme collectie van uiterst fraaie anatomische preparaten die hij opbouwde. Ruysch introduceerde geheel nieuwe technieken voor het prepareren van stoffelijk overschotten en in het tentoonstellen van de resultaten. Zijn anatomische preparaten werden geprezen om hun levensechtheid. Hij vervaardigde ook heel bizarre werkstukken. Zo maakte hij een twaalftal tableaux die helemaal waren samengesteld uit skeletten van ongeboren kinderen. Deze waren geplaatst in een soort rotstuintje van galstenen en nierstenen en tegen een achtergrond van organen en een weelderig struweel van vertakkende bloedvaten. De skeletjes drukten allegorische voorstellingen uit. Zo had bijvoorbeeld een van de skeletjes een parelsnoer in de handen met als onderschrift 'Waarom zou ik naar deze wereldse zaken verlangen?'.

In de Gouden Eeuw waren allegorische uitbeeldingen helemaal in en meer regel dan uitzondering (kijkt u maar eens naar de reconstructie van een *Theatrum Anatomicum* uit die tijd in het Museum Boerhaave in Leiden). De surrealistische diorama's van Ruysch zijn helaas niet bewaard gebleven, maar afbeeldingen van de wonderlijk macabere werkjes wel. Ruysch stelde zijn werkstukken tegen een bescheiden toegangsprijs ten toon in een apart hiervoor ingericht huis. Het liep er storm. Een van de bezoekers was tsaar Peter de Grote die een jaartje in Zaandam verbleef en een weekendje in Amsterdam was gaan stappen. Peter was zo onder de indruk dat hij in 1717 de hele collectie van meer dan duizend preparaten opkocht voor de in die tijd kapitale som van dertigduizend gulden. De hele collectie verhuisde daarna naar St. Petersburg, waar een gedeelte nog steeds wordt bewaard en te zien is in de Kunstkammer van de Russische Academie van Wetenschappen.

4.9 Lichamen vervaardigd uit was

U hebt vast wel eens een uitstapje gemaakt naar het wassenbeeldenmuseum Madame Tussaud en u in dit museum verwonderd hoe ontzettend nauwkeurig beroemde mensen in was zijn nagebootst. Madame Tusseaud begon haar wassenbeeldenmuseum in Londen in 1835 met het uitstallen van een paar kunstig nagebouwde koningen, misdadigers en beroemdheden uit de theaterwereld. Helemaal nieuw was haar kunst niet want er bestonden al honderd jaar lang beroemde anatomische verzamelingen van modellen van organen, en zelfs complete mensen uitgebeeld in was, met alles er op en er aan.

Prachtige verzamelingen van wassen anatomische preparaten bevinden zich in verschillende steden in Europa. Vooral de verzamelingen in Florence en Cagliari zijn wereldberoemd. Zeker even fraai is de verzameling van anatomische waspreparaten die u kunt bewonderen in het Institut für die Geschichte des Medizins van de Universiteit van Wenen in een vleugel van het Josephinum, een achttiende-eeuws paleis aan de Währingerstrasse. Het gebouw op zich is het bezichtigen al waard. Het werd neergezet op bevel van keizer Joseph II van Oostenrijk die in 1780 tijdens een reis naar Italië een bezoek bracht aan het Museo di Fisica e Storia Naturale in Florence. De keizerlijke museumbezoeker raakte gefascineerd door de levensechte collectie wassen anatomische preparaten die waren vervaardigd onder leiding van de directeur Felice Fontana. Het keizerlijke enthousiasme liep zo hoog op dat Joseph ter plekke aan Fontana vroeg om een kopie van de collectie te vervaardigen om die in Wenen te kunnen doneren aan de medisch-chirurgische academie die hij van plan was te stichten. Fontana liet zich overtuigen van de noodzaak om de collectie te kopiëren en huurde een van de beroemdste experts van zijn tijd in, Clemente Susini (1754-1814) om de wassen modellen te laten vervaardigen. Susini ging aan de slag en deed er vier jaar over om zijn opdracht te voltooien. Toen hij klaar was werd het hele oeuvre van 1192 wassen preparaten in kisten verpakt en op de rug van muilezels de Alpen overgesleurd naar Linz, overgeladen op een schip, via de Donau naar Wenen getransporteerd en in het Josephinum in rozenhouten vitrines tentoongesteld. Met name de modellen die bedoeld waren voor de opleiding van verloskundigen werden (en zijn nog steeds) wereldberoemd. Dit deel van de collectie bestaat uit honderdentwee modellen. Beroemd is de *Mediceische Venus*, een beeldschone wassen jongedame waarin de longen, lever, maag en ingewanden tot in de details in het plastische materiaal zijn nagebootst.

Niet alleen in Italië en in Wenen bevinden zich collecties wassen anatomische preparaten. In de in het jaar 2000 vernieuwde studiezaal/museum van de faculteit Diergeneeskunde in Utrecht bijvoorbeeld is een verzameling wassen preparaten aanwezig van kleine en grote huisdieren. Museum Boerhaave in Leiden stelt een bescheiden aantal wassen anatomische preparaten ten toon.

Waarom gebruikte men was? Het is duidelijk dat zonder voldoende conservering van stoffelijk overschotten het leven van een anatoom in landen met een warm klimaat bepaald geen pretje was. Bovendien was het aanbod van lichamen schaars (misdadigers, naamlozen, buitenlanders) en de vraag naar anatomieonderwijs groot. Een beetje didacticus komt in zo'n geval vroeg of laat op het idee om onderwijshulpmiddelen te gaan gebruiken. Modellen speelden hierin een belangrijke rol. Met name in verschillende Italiaanse universiteiten had men het vervaardigen van 'levensechte' wassen anatomische preparaten zeer goed onder de knie. Eerst werd een echt lijk ontleed om de organen te verkrijgen die men in was wilde uitbeelden. Vervolgens werd van klei een kopie vervaardigd en hiervan een afdruk in gips. Speciale wassoorten werden uitgezocht, vermengd met kleurstoffen en in de mal gegoten. Hierna was het een kwestie van artistiek afwerken. Een alternatieve techniek was het voorprepareren van het stoffelijk overschot waarna een dunne laag was over het preparaat werd uitgegoten.

Mocht u ooit in Italië zijn en u bent uitgekeken op de immense musea met hun prachtige kunstcollecties, en u hebt interesse in ietwat macabere collecties, dan raad ik u van harte het Museum van de Geschiedenis van de Wetenschap in Florence aan, waar u barokke anatomische werken kunt bewonderen vervaardigd tussen 1691 en 1694 door ene Gaetano Giulio Zumbo. Het is er meestal rustig, er hangt een muffig museumluchtje vooral als het warm weer is, en er worden ongehoord fraaie wassen anatomische preparaten tentoongesteld. Even uw adem inhouden als u kijkt naar de tableaux *Begrafenis*, *Syfilis* en *De Pest*. Uw maag moet er een beetje tegen kunnen.

4.10 Anatomische modellen van papier-maché, gips en kunststof

Was is in de handen van een anatomisch begaafd kunstenaar schitterend materiaal om er modellen voor onderwijskundige doeleinden mee te vervaardigen. Een nadeel van was is dat het duur is, niet al te best tegen warmte en kou kan, heel kwetsbaar is en vooral zeer brandbaar. In een koude omgeving wordt was brokkelig terwijl warmte het materiaal snel zachter maakt en doet uitvloeien. Eenvoudiger, goedkoper en minder kwetsbaar zijn modellen vervaardigd uit gips en papier-maché. Dit soort modellen werden en worden nog steeds overal ter wereld veel gebruikt bij medische en biologieopleidingen, en ergens in een hoekje van de medische faculteit waar ik zelf werk staan in een kast nog wat oude modellen van papier-maché langzaam te verstoffen. Sommige conservatoren en amanuensissen klagen dat het papier van de kostbare oude modellen wordt opgegeten door boekenwormen en insecten.

Gips kan beter tegen kou, warmte en insectenvraat. Het is een goedkoop goedje dat zich uitstekend leent voor het vervaardigen van modellen. In ziekenhuizen is het materiaal van nature ruim voorradig. Het enige nadeel van gips is dat het erg breekbaar is en dat er bij onvoorzichtig behandelen stukjes van kunnen afbreken. Gips laat zich slechter dan papier-maché bewerken tot modellen waarvan men de onderdelen als een puzzeltje in elkaar wil kunnen zetten.

Een materiaal dat daarentegen lang meegaat, goed tegen warmte en kou kan, afwasbaar is en een stootje kan hebben is kunststof. Alle anatomische modellen die tegenwoordig in de handel zijn, zijn gemaakt uit kunststof. Er bestaan gespecialiseerde firma's, onder andere de firma Somso in Duitsland, die een uitgebreid assortiment kunststof modellen aanprijzen, van complete skeletten tot ogen en kaken toe, met alles erop en eraan.

4.11 Kijken in het eigen lichaam met MRI

Veel van de moderne beeldvormende technieken zijn gebaseerd op computerafbeeldingen en het is dan ook geen wonder dat met name CT-scans en MRI-scans plus de daarbij behorende driedimensionele computerreconstructies van organen rijk vertegenwoordigd zijn op internet. Met name websites waarop de inhoud van het hoofd wordt weergegeven in MRI-doorsneden en 3D-reconstructies, zijn rijk vertegenwoordigd. Het hoofd is het gedeelte van het lichaam bij uitstek dat sterke emoties oproept. 'Wat zit er binnen in mij?' is een vraag die met MRI-technieken goed kan worden beantwoord zonder dat er een mes of injectiespuit aan te pas komt. Het idee dat je helemaal geen snij- of prikinstrument hoeft te gebruiken om toch elk detail in je eigen hoofd of in dat van een ander te zien is lange tijd een ondenkbare, haast magische droom geweest. Het was zo onvoorstelbaar dat zelfs iemand als Jules Verne nooit op het idee is gekomen. Tegenwoordig is het vrij normaal. MRI (Magnetic Resonance Imaging) is een techniek die gebruik maakt van het natuurkundige gegeven dat kernen van waterstofatomen een eigenschap bezitten die 'kernspin' heet. In een sterk magnetisch veld verandert de kernspin. Valt het magnetische veld weg, dan valt de kernspin terug en wordt een minuscuul radiosignaal afgegeven: de kernspinresonantie. Deze resonantie is meetbaar. Omdat de verschillende lagen en weefsels in ons hoofd en in de rest van ons lichaam verschillende hoeveelheden water bezitten (een watermolecule bestaat uit twee atomen waterstof en één atoom zuurstof), is de totale kernspinresonantie van het ene weefsel subtiel anders dan dat van het weefsel ernaast (bijvoorbeeld bot, vet, water, slijmvliezen, hersenen et cetera). Door met een computer de verschillen in kernspinresonantie voor elk punt in het magnetische veld (de doorsnede) uit te rekenen en deze waarden in beeld te brengen, verkrijgt men een doorsnedeplaatje. Elk beeldpunt van het doorsnedeplaatje heet een picture element, afgekort 'pixel'. Door een aantal doorsnedeplaatjes achter elkaar te nemen, bijvoorbeeld van een hoofd, verkrijgt men driedimensionele punten in de ruimte (kubusjes of 'voxels') die een indruk geven wat voor weefsel zich in die ruimte bevindt. Door MRI-machines te bouwen waarin steeds sterkere magnetische velden worden toegepast, en door steeds snellere en krachtiger computers te bouwen en die uit te rusten met steeds meer verfijnde software, is men verbluffend ver gekomen in het zichtbaar maken van details in het hoofd en overige delen van het menselijke lichaam.

4.12 Internet en The visible human

De afgelopen jaren hebben alle medische faculteiten in Nederland en sommige anatomische instituten een eigen website geopend om via het internet informatie aan de studenten, belangstellenden en buitenlandse contacten te kunnen aanleveren. Internet wordt ook in de medische wereld in toenemende mate de ruggengraat van de moderne informatievoorziening.
Met de opkomst van het internet kon het niet uitblijven. De digitale mens werd geboren of beter, vervaardigd. De Amerikaanse Library of Medicine gunde in 1991 in het kader van het project *The visible human* aan de geleerden Spitzer en Whitlock de opdracht een digitale at-

las te vervaardigen van een in plakjes gezaagd diepgevroren mannelijk en vrouwelijk menselijk lichaam. Elk plakje moest precies één millimeter dik zijn. Van elk plakje werd een gedetailleerde digitale opname gemaakt. In 1994 was het project wat het mannelijke gedeelte betreft voltooid en sindsdien kan iedere geïnteresseerde wetenschapper waar ook ter wereld beschikken over de dataset van 1871 digitale 'mannelijke' plakjes. In 1995 was de vrouwelijke *visible human* klaar: 5189 'vrouwelijke' plakjes van 0,3 millimeter dik. De dataset van de mannelijke *visible human* is afkomstig van een 39-jarige moordenaar, Joseph Paul Jernigan, die in 1993 in Huntsville, Texas werd geëxecuteerd door middel van een dodelijke injectie. Jernigan had tevoren toestemming gegeven om zijn lichaam na zijn dood in te vriezen en daarna in plakjes te zagen. Over de identiteit van de vrouwelijke *visible human* is weinig meer bekend dan dat het gaat om het lichaam van een 59-jarige huisvrouw uit Maryland die plotseling was overleden aan een hartaandoening.

Voor anatomen en onderzoekers zijn de datasets enorm handig omdat met behulp van speciale software uit de plakjes driedimensionele reconstructies kunnen worden gemaakt van allerlei organen. Deze 3D-reconstructies kan men hierna van alle kanten bekijken. Voor geneeskundestudenten zijn de plaatjes handig omdat ze er hun kennis van de driedimensionale menselijke anatomie mee kunnen testen zonder dat ze een snijzaal hoeven te bezoeken. Op het internet kunt u tientallen websites vinden die reconstructies of filmpjes van bewegende reconstructies laten zien van delen van de *visible humans*. Ook in het anatomisch instituut waaraan ikzelf verbonden ben heeft men een driedimensionele reconstructie uit visible-humanplakjes vervaardigd, namelijk van de neusbijholten.

4.13 Plastineren

Niet alleen de Habsburgse keizer Joseph II was gefascineerd door het inwendige van het menselijke lichaam. De nazaten van zijn onderdanen zijn dit nog steeds. De Duitse wetenschapper dr. Günther von Hagen uit Heidelberg heeft deze fascinatie opgepakt. Hij is specialist in een heel bijzonder conserveringsprocédé (het 'plastinatieproces') dat gebruik maakt van een techniek die men vries-substitutie noemt. In het kort komt het er hier op neer dat men bij zeer lage temperatuur en onder lage luchtdruk water onttrekt aan een organisme en dat gelijktijdig vervangt door een organisch oplosmiddel dat goed met water mengt, bijvoorbeeld aceton. Het aceton vervangt niet alleen het water maar lost ook een deel van het aanwezige lichaamsvet op. Als het orgaan of het hele lichaam compleet is doordrongen met het aceton en al het water is onttrokken, wordt het aceton vervangen door een kunststof. De techniek van het pure vriesdrogen is al vrij oud en is afkomstig uit de voedingsindustrie (bijvoorbeeld gevriesdroogd aardappelpureepoeder in een zakje). Vries-substitutie is van meer recente datum. Het unieke van Von Hagens project is de omvang en de preparaten die hij maakt, namelijk complete, echte menselijke lichamen. Von Hagen is patenthouder op de gebruikte kunststoffamilie. Deze kunststoffen zijn zo goed dat de oorspronkelijke kleur en het aanzien van het geconserveerde weefsel griezelig echt blijft behouden. Na afloop van het proces houdt men een zeer goed op het origineel gelijkend geconserveerd menselijk lichaam over. Het ís ook de oorspronkelijke donor, alleen is het water in het lichaam vervangen door kunststoffen. Alle weefsels blijven aanwezig en zien er heel natuurgetrouw uit. Het hele procédé is vrij tijdrovend. Vries-substitutie van complete lichamen is in Nederland vanwege de strenge milieueisen haast onmogelijk (stelt u zich voor: een rij diepvrieskisten met daarin mensgrote bakken vol aceton, kunststoffen en een stoffelijk overschot). Von Hagen betrekt hierom zijn stoffelijk overschotten uit Siberië en hij laat zijn preparaten vervaardigen in China. Het resultaat is er niet minder spectaculair om, met name vanwege de zeer bijzondere manier waarop de lichamen door Von Hagen worden tentoongesteld. Een van de meest imposante opstellingen is die van een compleet paard met op zijn rug enkele complete menselijke spierpreparaten. Andere zeer bijzondere objecten zijn de man die zijn eigen huid in zijn hand omhoog houdt (een soortgelijk plaatje komt u tegen in het boek *Anatomia del corpo humano* geschreven door Juan Amusco de Valverde en uitgegeven in 1559 in Rome) en de hoogzwangere vrouw van wie de buik is geopend zodat u de baarmoeder ziet met daarin een bijna volgroeide vrucht.

De tentoonstelling *Körperwelt* is sinds 1996 op tournee langs een groot aantal Europese steden. In de hoofdstad van Zuid-Korea, Seoul is een

103

parallelle tentoonstelling te zien. Er is ook een permanente website: www.bodyworlds.com.

De reacties van de bezoekers zijn zeer verschillend maar overigens overwegend positief. Veel bezoekers gaan naar de tentoonstelling toe zoals men vroeger op de kermis naar een rariteitenkabinet ging kijken: zeer geïnteresseerd, een beetje griezelend en na afloop zeer onder de indruk. Veel mensen hebben aan Von Hagen gevraagd of hun lichaam na hun overlijden ook voor plastinatie in aanmerking kan komen en ze beweren dat ze er geen bezwaar tegen zouden hebben als hun geplastineerd stoffelijk overschot als object in een spannende pose 'optreedt' in Von Hagens tentoonstelling. Wetenschappelijke collega's laten overigens hier en daar kritiek horen op het onderwijskundige nut, de ethiek en vooral op de commerciële uitbating van stoffelijk overschotten door collega Von Hagen. De openbare anatomische les die Von Hagen op 20 november 2002 organiseerde in Londen was in dit opzicht voor velen de druppel die de emmer deed overlopen.

Grafmonument voor koning Willem I in de Nieuwe Kerk te Delft.
Zie 3.3 Begraafplaats

Hoofdstuk 5

Orgaandonatie en orgaantransplantatie

5.1. Geschiedenis

Het zal in 2004 precies vijftig jaar geleden zijn dat de eerste orgaantransplantatie werd uitgevoerd. Na eindeloze reeksen voorbereidende experimenten in het laboratorium werd uiteindelijk in 1954 in Boston met succes voor het eerst een nier getransplanteerd van de ene mens naar een andere. De donor en de gastheer waren eeneiige tweelingbroers en de eer van de primeur viel ten beurt aan de chirurgen Murray en Merrill. Voor 1954 werd er al bloed 'getransplanteerd' van de ene levende persoon naar de andere via een bloedtransfusie, maar een compleet orgaan, dat was toch wel wat anders.

In 1963 werd in Denver voor het eerst een lever getransplanteerd door professor Starzl. In hetzelfde jaar voerde dr. Hardy in Jackson de eerste longtransplantatie uit. In 1967 was het volgende orgaan aan de beurt. In dat jaar transplanteerde professor Lillehei de eerste alvleesklier. De koningin der organen was ten slotte op 3 december 1967 aan de beurt toen dr. Christiaan Barnard in het Groote Schuurziekenhuis in Kaapstad de eerste harttransplantatie verrichtte. De ontvanger, Louis Washkansky, leefde na de operatie maar achttien dagen met zijn ruilhart. De levensverwachting van mensen met een ruilhart is tegenwoordig onvergelijkbaar veel groter dan in 1967 toen de hele harttransplantatietechniek nog in de kinderschoenen stond.

In Nederland werd in 1984 voor de eerste keer een hart van de ene mens naar de andere getransplanteerd en wel in Rotterdam in het Academisch Ziekenhuis Dijkzigt, tegenwoordig het Erasmus Medisch Centrum. Thans vinden er per jaar in Nederland ongeveer vijfendertig harttransplantaties plaats. In België zijn het er ongeveer vijftig.

5.2 Harttransplantatie

Het hart is niet zomaar een orgaan. In de eerste plaats wist men al heel vroeg drommels goed dat er een hele nauwe samenhang is tussen het hart, het leven en de dood. Als het hart stopt met kloppen gaat de eigenaar ervan snel dood en iemands dood kan worden vastgesteld door te luisteren of het hart nog klopt. Zo ging dat in de oudheid en zo gaat dat eigenlijk nog steeds ondanks alle fantastische technologie die ons ter beschikking staat. Het hart moest dus wel iets zeer bijzonders zijn. Zozeer sprak het hart tot de verbeelding dat azteekse priesters iedere dag rond het middaguur het kloppende hart uit het lichaam van een slachtoffer sneden om het te offeren aan de goden opdat deze het volk gunstig gezind bleven. Als kloppend orgaan is het hart uniek in ons lichaam. Dat het hart een holle spier is dat het bloed door ons lichaam rondpompt weten we pas zo'n vierhonderd jaar omdat het nog maar zo kort geleden is dat William Harvey in zijn boek *On the circulation of the blood* (1628) voor het eerst de bloedsomloop in detail beschreef. Overigens kostte deze ontdekking heel wat bloed, zweet en tranen van de beroemde William, want voordat hij zijn vondst kon opschrijven had hij heel wat lijken open moeten snijden, onder andere dat van zijn overleden vader en van een zusje.

In onze taal en cultuur werd het hart, en wordt het ondanks alle transplantaties, nog steeds beschouwd als hét centrum van emotie en gevoel. Ons hart en ons ik zitten nu eenmaal op dezelfde golflengte. Als wij ons druk maken gaat de hartslag omhoog, als wij rust nemen gaat het hartritme omlaag en dat voelen wij donders goed.

Onze taal zit vol met spreekwoorden en uitdrukkingen waarbij het hart een belangrijke gevoelsrol speelt. U kent er vast wel een paar. Veel mensen menen dat bij het transplanteren van een donorhart in het lichaam van een gastheer of -vrouw een beetje van de persoonlijkheid van de donor mee gaat.

5.3 Orgaandonatie door hersendode patiënten

In de korte geschiedenis van de orgaantransplantatie werd al heel gauw vastgesteld dat het alleen maar zin heeft om met enige betrouwbaarheid en uitzicht op overleven organen van de ene mens naar de ander over te brengen indien het te transplanteren orgaan tot op het moment van transplantatie voortdurend van vers, zuurstofrijk bloed wordt voorzien. Een orgaan moet dus bij voorkeur van een levende donor in een levende ontvanger worden overgeplant. Dit geldt voor bijna alle te transplanteren organen. Een echte uitzondering is het hoornvlies, maar dit is dan ook weefsel dat geen eigen bloedvoorziening heeft en dat zijn zuurstof opneemt uit de zuurstofrijke omgeving van het traanvocht. Nieren zijn een grensgeval. Deze organen kunnen ook uit mensen worden betrokken van wie het hart niet meer klopt en bij wie de bloedvoorziening naar de nieren dus tijdelijk is gestopt. Zulke nieren hebben wel een opdonder gekregen en om deze reden is het succes bij niertransplantatie uit hart-dode donoren een stuk minder dan bij transplantaties waarbij de nieren tot het laatste moment in de donor wél van zuurstofrijk bloed werden voorzien.

Dat de ontvanger van een orgaan levend moet zijn hoeft geen betoog. Dat de donor op het moment van de transplantatie nog levend moet zijn, in de zin van dat zijn bloedsomloop nog functioneert, is een conditie die in de begintijd van de orgaantransplantatie heel veel ethische problemen heeft opgeroepen en overigens nog steeds emotioneel moeilijk te verwerken is door de naasten van de donor. Er is een schreeuwend tekort aan donoren. In het geval van de nier kan een vrijwilliger een van zijn twee goed functionerende nieren afstaan aan iemand van wie de functie van beide nieren is uitgevallen. Bij lever-, alvleesklier- en harttransplantatie overleeft de donor per definitie de ingreep niet. Je hebt er namelijk maar één van in je lichaam, en delen van de lever, alvleesklier of het hart transplanteren, dat gaat niet.

Er was in de begintijd van de lever-, alvleesklier- en harttransplantaties een geheel nieuwe definitie van overlijden nodig omdat de oude vertrouwde definitie dat het hart had moeten ophouden met het rondpompen van bloed in deze gevallen niet meer voldeed. De oplossing werd na lang debatteren in medische kringen in 1968 gevonden door het invoeren van het begrip 'hersendood'. In hoofdstuk 1 heeft u al kennis met dit begrip gemaakt. Een hersendode patiënt is in coma waaruit hij naar alle objectieve medische waarschijnlijkheid niet meer zal ontwaken. De comateuze toestand mag niet het gevolg zijn van onderkoeling, gas- of drugsvergiftiging, shock of suikerziekte. De hersenschors en de hersenstam mogen totaal geen activiteit meer laten zien. Omdat de hersenstam geen activiteit heeft is het ademhalingscentrum in dit stukje hersenen ook inactief en zijn de ademhalingsspieren verlamd. De bloedsomloop wordt gaande gehouden door kunstmatige beademing en door het nog steeds normaal functionerende hart. Het hart is een zeer apart orgaan omdat de regeling van het hartritme in het hart zelf gebeurt. De hersenen kunnen alleen invloed uitoefenen door het hartritme te versnellen of te vertragen; de hersenen hebben niet de 'volmacht' om het hart te stoppen. Het hart bezit dus haar eigen pacemaker. Het stopt pas met kloppen als het er zelf geen zin meer in heeft of als het geen zuurstof meer krijgt, bijvoorbeeld door verstopping van de kransslagaders. Als de kunstmatige beademing van de hersendode patiënt wordt onderbroken mag het niet zo zijn dat de patiënt spontaan adem gaat halen. Ook het aanzetten tot ademen via een prikkel (in dit geval kooldioxide) moet zonder resultaat blijven. Pas onder deze zeer strikte voorwaarden wordt de diagnose 'hersendood' gesteld. De patiënt wordt dus als overleden beschouwd terwijl zijn hart dus in feite nog klopt. De patiënt is warm en heeft een gezonde, normale kleur. Voor buitenstaanders lijkt het alsof de hersendode patiënt slechts in diepe slaap is.

Medisch gezien wordt men dus niet zomaar orgaandonor. Men moet aan de strenge eisen voldoen die gelden voor het hersendood-zijn. Ook volgens de wet wordt men ook niet zonder meer orgaandonor. Volgens de Wet op de Orgaandonatie moet men in Nederland van tevoren in een donorcodicil hebben vastgelegd dat organen mogen worden uitgenomen om te worden getransplanteerd indien de drager van het codicil in een situatie van hersendood terecht is gekomen én medisch gezien een geschikte donor is. In België moet men een codicil hebben om het tegengestelde aan te geven, namelijk dat men niet als donor aan orgaantransplantatie wil deelnemen.

U hebt in het voorgaande gelezen dat de comateuze toestand waarin de hersendode patiënt verkeert aan allerlei strenge randvoorwaarden moet voldoen. In de praktijk komen hierdoor vrijwel alleen hersendode slachtoffers van bijvoorbeeld verkeersongelukken en misdrijven in aanmerking voor donorschap bij orgaandonatie. Nadat de toestand van hersendood is vastgesteld wordt nagegaan of de algemene conditie van de hersendode en in het bijzonder de conditie van de te doneren organen zodanig is dat het zinvol is om organen te verwijderen en over te plaatsen in de lichamen van geschikte patiënten die boven aan de wachtlijst staan. Alleen gezonde organen komen voor transplantatie in aanmerking.

In Europa worden de gegevens van de voor transplantatie geschikte organen doorgegeven aan Eurotransplant in Leiden. Deze coördinerende instantie gaat in zijn database op zoek naar een geschikte ontvanger. Indien deze aanwezig is en in de juiste conditie verkeert om het transplantaat te ontvangen wordt de transplantatieprocedure in gang gezet. Bij de donor gebeurt het uitnemen van organen en weefsels met grote zorgvuldigheid en met respect voor de overledene en de nabestaanden. Hoofd, gezicht en hals blijven altijd ongeschonden. Omdat er zo'n groot gebrek is aan organen gebeurt het niet zelden dat een multi-orgaandonatie wordt verricht. Hierbij worden meerdere organen uit de borst- en buikholte van de donor weggenomen en in verschillende gastheren geplaatst. Volgens de chirurgen die de organen uitnemen is vooral een multi-orgaandonatie een emotioneel moeilijke taak omdat ze juist getraind zijn om patiënten beter te maken en om de dood te bestrijden, niet om na afloop van de operatie de patiënt definitief aan de dood over te geven.

5.4. Leeftijdsgrenzen voor orgaan- en weefseldonatie

Als u wilt weten of u in aanmerking komt om organen te doneren volgt hier een lijstje met leeftijdsgrenzen.

Algemeen:
Tussen 0 en 81 jaar

Specifiek:
Hoornvliezen: 2 tot 81 jaar
Huid: 20 tot 81 jaar

Bot- en peesweefsel: 17 tot 56 jaar
Hartkleppen en grote arteriële vaten: 0 tot 66 jaar
Nieren: 0 tot 75 jaar
Lever: 1 maand tot 70 jaar
Hart: 0 tot 65 jaar
Longen: 0 tot 60 jaar
Pancreas (alvleesklier): 5 tot 55 jaar
Dunne darm: 0 tot 55 jaar

5.5 Wet op de Orgaandonatie

Sinds 1998 is in Nederland de Wet op de Orgaandonatie van kracht. Elke Nederlander van 18 jaar en ouder heeft een brief ontvangen waarin men werd uitgenodigd om aan te geven of men na overlijden of in hersendode toestand organen of weefsels voor transplantatiedoeleinden beschikbaar wil stellen.
De mogelijkheden waaruit iedereen kan kiezen zijn:
• verlenen van toestemming om een of meer organen of weefsels te transplanteren
• pertinent niet verlenen van toestemming
• de beslissing overlaten aan de nabestaanden
• een aangewezen persoon de beslissing te laten nemen

In België zit de Wet op de Orgaandonatie iets anders in elkaar. Hier is iedereen potentieel donor. Alleen als men een codicil draagt waarin men uitdrukkelijk bezwaar maakt tegen transplantatie van zijn of haar organen of weefsels na het overlijden komt men niet in aanmerking als donor.
Men hoopte in Nederland met de invoering van de Wet op de Orgaandonatie een oplossing te hebben gevonden voor het probleem van het nijpende tekort aan te transplanteren organen. Iedere burger van achttien jaar en ouder werd benaderd. Heel veel benaderde personen hebben helaas niet de moeite genomen te reageren. Volgens het ministerie van Volksgezondheid hebben slechts ongeveer vier van de twaalf miljoen geadresseerden het registratieformulier teruggezonden. Van de mensen die hebben gereageerd heeft ruim de helft (56 procent) inge-

stemd om na hun dood of in het geval van hersendood organen voor transplantatiedoeleinden af te staan. De meeste positieve reacties zouden afkomstig zijn van personen die voordat de nieuwe wet in werking was getreden al een transplantatiecodicil hadden. Het aantal transplantaties is in Nederland na invoering van de wet nauwelijks gestegen en de wachtlijsten zijn derhalve erg lang gebleven. In 2003 wordt de Wet op de Orgaandonatie door de Tweede Kamer geëvalueerd en zal worden beslist hoe verder te gaan. Wellicht geeft het Belgische systeem meer ruimte dan het huidige Nederlandse. De twee belangrijkste organisaties op het orgaandonatiegebied, de Nederlandse Transplantatie Stichting en Eurotransplant, zijn voorstander van een geen-bezwaarsysteem. Deze instanties hebben er meerdere malen op gewezen dat de huidige orgaandonatiewet in de praktijk niet voldoet. Bij niertransplantaties is de nood zo hoog dat de Nierstichting het liefst onmiddellijk aan de slag wil met een herzien systeem. Een nierpatiënt wacht op dit moment gemiddeld viereneenhalf jaar op een transplantatie.

Naast de problematiek rondom het transplantatiecodicil is een andere ontwikkeling gaande die het aantal donoren van organen doet verminderen. Met name in het verkeer heeft men de laatste twintig jaar op alle mogelijke manieren erg hard gewerkt aan het verbeteren van de veiligheid. Hierdoor is het aantal verkeersdoden gestadig gedaald tot ongeveer duizend per jaar. Hierboven is al aangegeven dat een groot aantal orgaandonaties juist werd en wordt verricht met organen afkomstig van hersendode verkeersslachtoffers. Daarnaast is het zo dat sterfte op de trauma- en intensive-careafdelingen van ziekenhuizen met het jaar minder wordt door voortdurende verbeteringen in de geneeskundige behandeling. Ook hier dreigt een bron van organen die medisch gezien geschikt zijn voor transplantatie langzaam op te drogen.

Wel of niet jezelf ter beschikking stellen voor orgaantransplantatie is een beslissing waarover de toekomstige donor en zijn omgeving goed moet nadenken omdat verwijdering van een gezond orgaan voor de donor per definitie een definitieve ingreep is en omdat er bovendien gevoelsmatig heel wat bij komt kijken. Op het bewuste moment komt orgaandonatie voor transplantatie op de mensen in de directe leefomgeving van de donor bijna altijd op het verkeerde moment en is het voor hen wel heel erg confronterend. Ze moeten de plotselinge schok verwerken dat een dierbare zojuist onverwacht, bijvoorbeeld door een verkeersongeluk, om het leven is gekomen en vrijwel tegelijkertijd vraagt een arts om toestemming om organen uit te mogen nemen voor transplantatie. Bovendien is er nog dat allerlaatste sprankje hoop, want het hart van de dierbare klopt immers nog. Zodra de verwanten toestemming geven gaat de hele ziekenhuismachinerie op volle toeren draaien en is er bijna geen gelegenheid meer voor de naaste familie om dicht bij de dierbare te zijn. De arts en het ziekenhuis kunnen enerzijds niet anders omdat bij transplantatie de tijd altijd dringt, is het niet voor het te doneren orgaan dan wel voor de ontvanger, en anderzijds omdat men door de wet gedwongen wordt te handelen zoals men doet. Ziekenhuizen waarin de organisatie naadloos op transplantatie is afgestemd en waarin een goed samenwerkend en psychologisch geschoold donatieteam aanwezig is om de nabestaanden te benaderen en in het hele traject te begeleiden, scoren stukken beter bij orgaantransplantatie dan ziekenhuizen waar een en ander ongecoördineerd is geregeld en waarbij nauwelijks aandacht wordt besteed aan de gevoelens van de nabestaanden.

Een sterk negatieve invloed op de bereidheid van mensen om organen ter beschikking te stellen gaat uit van de verhalen over mensen in Rusland of de Derde Wereld die voor veel geld organen versjacheren aan louche dokters die de organen voor nog meer geld aan westerse ziekenhuizen doorverkopen. Er wordt gefluisterd dat men in China in sommige gevangenissen wacht met het ter dood brengen van misdadigers tot er een geschikte koper voor hun organen is komen opdagen. Dan zijn er nog de verhalen uit Parijs waar onder de bruggen dode clochards zouden zijn gevonden waaruit vakkundig de nieren zouden zijn verwijderd. Ook in Rusland schijnt het voor te komen dat reizigers onderweg spoorloos verdwijnen om later zonder vitale organen in een greppel langs de weg te worden gevonden. Dit soort verhalen draagt niet bij aan de popular
iteit van orgaantransplantatie.

5.6 Hoe anderen staan tegenover orgaandonatie

Niet alle religies en levensfilosofieën staan positief tegenover orgaandonatie. Hoewel de hoofdstromingen binnen de joods-christelijke religies in het algemeen gematigd positief tegenover transplantatie staan vanwege het zwaarwegende argument van naastenliefde, zijn er ook stromingen die donatie op fundamentele gronden verwerpen omdat het wegnemen van organen, óók voor het goede doel van transplantatie, een inbreuk betekent op de integriteit van het menselijke lichaam. Men vindt dat ieder menselijk leven en lichaam zo uniek is dat een getransplanteerd orgaan nooit helemaal bij de donor zal passen en altijd afweerreacties zal blijven oproepen. Ook staan verschillende conservatieve stromingen huiverig tegenover het begrip hersendood. De islam wijst orgaantransplantatie af omdat de koran de integriteit van het menselijke lichaam belangrijker vindt dan het afstaan van organen uit overwegingen van naastenliefde. Ook de boeddhistische wereld staat vrij negatief tegenover orgaandonatie omdat de ziel na het overlijden de tijd moet hebben om zich helemaal los te maken van het sterfelijke lichaam. Na het overlijden dient enige tijd in acht genomen te worden voordat de persoon zijn gehele zielseenheid uit zijn organen en stoffelijk lichaam heeft teruggetrokken. Individueel is de tijd die hiervoor nodig is verschillend, van enkele seconden tot enkele dagen. Ook in relatie tot donatie na definitieve hartstilstand is dit een belangrijk gegeven. De verstoring die de overhaaste transplantatie teweeg brengt heeft zowel voor de donor als de ontvanger een negatieve uitwerking. De overgang van de ziel van de donor wordt ernstig verstoord door de medische ingreep want het wordt de ziel onmogelijk gemaakt om tot een ander niveau van bewustzijn te komen. Iemand die volgens gangbare medische inzichten hersendood is, is volgens boeddhistische principes namelijk nog niet volledig overgegaan naar de dood. De gehechtheid aan het orgaan dat wordt uitgenomen belet de donor het leven af te sluiten.

Hoofdstuk 6

De dood misleid?
Over invriezen en klonen

6.1 Invriezen

Vloeibare stikstof is een goedje dat onder normale luchtdruk wordt bewaard in grote vaten die er uitzien als *oversized* thermosflessen. Als u iets van de inhoud van zo'n thermosfles in een beker giet bruist en dampt het spul omdat een gedeelte wegkookt, maar daarna wordt het helder en ziet het er uit als water. Terwijl de vloeistof zachtjes borrelt als een soort mineraalwater bevriest de beker aan de buitenkant binnen korte tijd want de stikstof is erg koud. Vloeibare stikstof kookt namelijk al bij -195 graden Celsius. Vloeibare stikstof kan maar beter niet in aanraking komen met de huid. De verschrikkelijk koude vloeistof veroorzaakt gemene brandwonden. Vloeibare stikstof wordt vervaardigd uit lucht als bijproduct bij de bereiding van vloeibare zuurstof, het is goedkoop en het is bij uitstek geschikt om er allerlei bederfelijke waar lang in te bewaren. Eeuwenlang als het moet, mits men op tijd wat vloeibare stikstof bijgiet om het weggekookte stikstof aan te vullen. Ook al is de warmteisolatie nog zo goed, de inhoud van het vloeibare-stikstofvat warmt heel langzaam op en er kookt voortdurend een klein beetje stikstof weg. In de medische en biologische wetenschap maakt men gebruik van de eigenschap van cellen en eenvoudige organismen dat ze, mits ze voorzichtig worden ingevroren, in vloeibare stikstof kunnen worden opgeslagen en lang bewaard om vervolgens, als het nodig is, weer ontdooid te worden om hierna hun nuttige werk te doen.

Een goed voorbeeld is sperma. In de spermabank wordt de voorraad spermacelletjes keurig verpakt in dunne rietjes bewaard, 'vers gehouden', in vaten met vloeibare stikstof. Eens per week controleert een analist of er niet te veel stikstof uit het vat is weggekookt en vult indien nodig bij. Voor het bewaren van bevroren cellen of weefsel in vloeibare stikstof is dus voortdurende aandacht nodig. Verdampt er te veel vloeibare stikstof en komt de inhoud droog te staan, dan ontdooien de cellen of het weefsel en bederven ze. De wetenschap van het conserveren van sperma en andere cellen heeft zijn oorsprong in Italië toen in 1866 de geleerde Mantegazza menselijke spermacellen liet bevriezen en ontdooien en daarna onder zijn microscoop waarnam dat een paar ontdooide celletjes weer enthousiast begonnen rond te zwemmen. Al experimenterend met sperma verkregen uit muizen en konijnen werd ontdekt dat spermacelletjes het best de vrieskou overleefden als ze vooraf in een badje glycerine werden gestopt, daarna snel ingevroren, en vervolgens weer langzaam ontdooid. Een belangrijke ontdekking was dat cellen tijdens het bevriezen dood gaan als het water in de cel bevriest en ijskristallen gaat vormen. Tijdens het groeien van deze ijskristallen prikken ze de cellen van binnen uit letterlijk dood, want ze groeien dwars door de celmembranen heen. Deze membranen vormen de uiterst dunne wandjes van afdelinkjes in de cel waarin allerlei activiteiten plaatsvinden als celstofwisseling en afbraak. Als die activiteiten door elkaar worden gemengd gaat de cel pijlsnel dood. De groei van ijskristallen in cellen en weefsel wordt afgeremd door de cellen of het weefsel te drenken in glycerine of een soortgelijke 'antivries'-stof zoals dimethyl sulfoxide en door ze hierna in een badje van zo'n stof te laten invriezen. De bescherming die door dergelijke stoffen wordt gegeven noemt men *cryoprotectie*.

In de staat Michigan in de Verenigde Staten werd in 1967 door een aantal personen het Cryonics Institute opgericht. In 1972 volgde in Californië de oprichting van de Alcor Foundation. Deze niet-commerciële organisaties hebben als doel het invriezen van stoffelijk overschotten om ze net zo lang te bewaren tot er betere tijden aanbreken waarin ze mogelijk weer tot leven kunnen worden gewekt en genezen worden van hun kwalen. De wetenschap van het invriezen van het lichaam om het later weer tot leven te wekken wordt *cryonics* genoemd. U betaalt bij beide instellingen eenmalig een fors bedrag om uw stoffelijk overschot zo lang als het verblijf duurt in de diepe winterslaap te houden die het behoeft. De bevroren lichamen worden net als de spermacelletjes eerst voorbehandeld met een cryoprotectiestof en hierna keurig verpakt in een grote superdiepvriesinstallatie in vloeibare stikstof bewaard tot het moment waarop iedereen wacht, namelijk het moment dat de medische wetenschap zo ver gevorderd zal zijn dat de bevroren lichamen weer kunnen worden ontdooid om de personen hierna weer tot leven te wekken en van hun ziekten te genezen. Leuk idee. Voor de stichtingen in ieder geval wel, want ondanks alle optimisme is er een kleine complicatie. De essentie van cryonics is namelijk dat de personen die ingevroren zijn eerst een tijdje na hun overleden zijn ingevroren. En overleden zijn betekent dat men dood is, morsdood. Laten we daar geen doekjes om winden. Dood betekent dat het hart is gestopt met kloppen en dat de bloedsomloop tot stilstand is gekomen, en wel zo lang dat er *zero* hersenactiviteit over is. De hersenen van gezonde mensen lopen door gebrek aan zuurstof binnen vijf minuten onomkeerbare schade op. De ademhaling van iemand die op het punt van overlijden staat vermindert zodanig dat schade aan de hersenen vrijwel onmiddellijk optreedt zodra de laatste ademzucht de longen verlaat en het wegflakkerende leven overgaat in de dood. Men zou overledenen dus eigenlijk al eerder dan vijf minuten na het daadwerkelijke overlijden compleet moeten invriezen om tenminste een minimale kans te hebben om de hersenen in zodanige staat te houden dat er later, na het ontdooien, geen onherstelbaar hersendode patiënt overblijft. Ongeveer hetzelfde geldt voor de spiercellen van het hart. Voor deze cellen betekent het ontbreken van zuurstof zo'n beetje hetzelfde als de omstandigheden tijdens een massief hartinfarct. Een tijdje 'normaal' dood-zijn heeft voor de hersencellen en de hartspier van de overledene de consequentie dat ze helemaal niet meer tot stofwisseling, laat staan tot leven, kunnen worden gewekt. Hier komt nog wat bij, namelijk dat het vervoer van het stoffelijk overschot naar het Cryonics Institute of de Alcor Foundation ook nog eens kostbare tijd vergt. Het in ijs verpakken tijdens het transport bevordert de snelheid waarmee het stoffelijk overschot afkoelt, maar moet worden gezien als een slap doekje voor het bloeden indien men hoopt de levensvatbaarheid van de hersenen hierdoor gunstig te beïnvloeden. U hebt in hoofdstuk 2 over de chemische veranderingen in dood weefsel gelezen en u weet dus dat tijd de conditie van een lijk niet doet verbeteren, integendeel. Koeling rekt hoogstens de tijd een beetje op voordat de definitieve ontbinding intreedt. De patiënt is dan al lang en breed echt overleden. Hoewel de diepvriesbewaarinstituten hun klanten aanduiden met 'patiënten' zijn ze volgens de wet officieel overleden en is een verklaring van overlijden afgegeven. In de vloeibare stikstof van het Cryonics Institute en van het Alcor Foundation drijven dus lijken en het bewaren van lichamen van overledenen in vloeibare stikstof staat gelijk aan het bewaren van stoffelijke resten in alcohol, formaline of een andere conserverende vloeistof. Voor de wetgever in Nederland is het plaatsen van overledenen in vloeibare stikstof hierom gelijkgesteld aan het balsemen met conserverende middelen. Aangezien balsemen van het stoffelijk overschot is voorbehouden aan leden van het koninklijk huis zullen andere stervelingen die voort willen blijven bestaan in een ijskoude omgeving na hun dood moeten worden vervoerd naar een land waar opslaan van stoffelijk overschotten in vloeibare stikstof wel is toegestaan. Het is raadzaam dat de betrokkene vlak voor het overlijden een enkele reis naar Michigan onderneemt teneinde zo dicht mogelijk bij het instituut te overlijden.

De gedwongen pauze na het overlijden en de tijd die met het transport gemoeid is, gevoegd bij de slechte conditie waarin het lichaam verkeert op het moment van overlijden garanderen eigenlijk dat het lijk na het ontdooien uit het jarenlange verblijf in de vloeibare stikstof onmiddellijk tot ontbinding zal overgaan. Ergo, dit staat gelijk aan het tot leven wekken van overledenen.

De griezelige conclusie van dit kille relaas is dat er wellicht een kans tot overleven is als de persoon in kwestie wordt ingevroren *terwijl hij nog leeft*. Dit is precies wat er routinematig in het laboratorium van het ziekenhuis met sperma, eicellen en menselijk weefsels zoals huid gebeurt. Dit zijn geen dode cellen of dood weefsel dat weer tot leven wordt gewekt, maar weefsel dat op het moment van behandeling blaakte van gezondheid. De stofwisseling en prikkelbaarheid van het leven zijn dus even stilgezet. Dat is iets geheel anders dan de stilte van de dood verder te verstillen in een steenkoud diepvriesvat. Het verse en kerngezonde weefselmateriaal wordt eerst in een cryoconserverende vloeistof gedrenkt, bijvoorbeeld glycerine, en gaat vervolgens goed verpakt de vloeibare stikstof in. Er is wel eens voorgesteld dit ook met ruimtevaarders te doen om de tijd te overbruggen tussen het vertrek van de aarde en de aankomst, honderden of duizenden jaren later, in een ander sterrenstelsel. Dit idee, het *hiberneren*, vindt zijn oorsprong in de waarnemingen van biologen dat sommige vissen en kikkers in de winter in de modder van een bevroren vijver kunnen overleven. Beren, eekhoorns en andere zoogdieren houden in de winter hun winterslaap (Engels: hibernation) waarbij de lichaamstemperatuur tot een lage waarde zakt. De stofwisseling van deze dieren blijft tijdens de hibernatie op een heel laag pitje doorpruttelen. Waarom kan dit niet met een mens? En liefst nog een paar graadjes lager zodat de betrokkene desnoods eeuwen lang kan hiberneren? Sommige operaties worden al uitgevoerd nadat men de lichaamstemperatuur kunstmatig een paar graden omlaag heeft gebracht.

Naast het blote feit dat men een *levend* mens zou moeten invriezen in plaats van een overledene, zijn er minstens twee grote problemen. In de eerste plaats heeft zelfs de meest magere levende mens zoveel lichaamsmassa dat invriezen van buiten af, bijvoorbeeld door hem in een koude omgeving te plaatsen, te lang duurt. In de tweede plaats hebben de hersenen voortdurend zuurstof nodig en moet men cryoprotectie toepassen anders groeien er in de lichaamscellen ijskristallen die de celmembranen kapot prikken, en dat is dodelijk. Als oplossing heeft men geopperd om transfusie met steeds koudere vloeistoffen toe te passen zodat het lichaam van binnen uit wordt gekoeld en de stofwisseling tot stilstand wordt gebracht. Als deze transfusievloeistof ook nog eens zuurstof kan transporteren én cryoprotectie biedt, dan... ja, dan is er wellicht perspectief.

Er zijn in het verleden proeven uitgevoerd met ratten, hamsters, honden en zelfs bavianen waarbij de dieren werden gekoeld waarna het bloed werd vervangen door een volledig kunstmatig, bloedplasma-achtig commercieel product (hexastijfsel, een soort glucose). De dieren werden enige tijd op lage temperatuur gehouden (*hypothermie* ofwel verlaagde lichaamstemperatuur, maar boven het vriespunt) en daarna weer opgewarmd. Sommige hamstertjes werden bevroren tot temperaturen enkele graden onder het vriespunt, maar de hartjes en de hersentjes van de slachtoffertjes overleefden het experiment niet. Helaas konden deze organen na het 'ontdooien' niet meer tot enige activiteit worden aangespoord.

Volgens de huidige stand van zaken moet men dus een (nog) levende persoon invriezen wil men in de verste verte een kansje maken op succes na ontdooien. De resultaten van de arme hamstertjes in gedachten nemend zou dit gelijk staan aan een regelrechte poging tot zelfmoord. De eerste vrijwilliger heeft zich bij mijn weten nog niet gemeld. Ook de Inspectie van de Volksgezondheid zal niet gemakkelijk met een dergelijk experiment instemmen.

6.2 Kopie van uzelf: klonen

Als u per se onsterfelijk wilt worden kunt u altijd nog celletjes en DNA afstaan om deze te laten klonen tot een kopie van uzelf. In de Verenigde Staten is een onderneming actief die uw schoothondje voor u kloont. Alles wat u hoeft te doen is wat vers wangslijmvlies van uw troeteldiertje op te sturen of een paar haren. En een pittige rekening betalen. De wetenschappers van het commerciële instituut werken het DNA op tot een compleet nieuw schoothondje dat niet van het vorige is te onderscheiden. Ook blaft het keffertje precies hetzelfde zoals zijn voorganger dat deed. Het ís ook precies hetzelfde keffertje als zijn voorganger, want het is een kopie.

Klonen is een techniek waarbij men een volledige set erfelijk materiaal van de donorcel isoleert en in de eicel van een gastheer injecteert waaruit eerst de celkern is verwijderd. Voor dit doel zijn technieken beschreven in erkende wetenschappelijke tijdschriften en zijn er speciale microscopen in de handel uitgerust met steriele kweektafels, micromanipulators en micropipetten. De eicel die zojuist haar nieuwe DNA heeft ontvangen wordt in de baarmoeder van een geschikt moederdier ingeplant en kan zich in de gastvrouw op natuurlijke wijze verder ontwikkelen tot het resultaat wordt geboren als een nieuwe, gekloonde pup. Een heel beroemd dier dat het product is van de kloontechniek is het schaap Dolly, dat in 1996 in Engeland werd geboren. De Italiaanse arts Severino Antinori, die al eerder een 62-jarige vrouw hielp bij het krijgen van een baby, heeft medegedeeld bezig te zijn mensen te klonen. Deze vorm van klonen noemt men 'reproductief klonen'. Op 27 december 2002 kondigde de firma Clonaid, het kloneringsbedrijf van de Raëliaanse Beweging, aan dat de eerste gekloonde mens was geboren, de kleine Eva, dochter en kopie van een Koreaanse vrouw.

Gezegd moet worden dat klonen een techniek is waarbij op dit moment nog altijd bij pogingen om dieren te kopiëren maar vijf procent van de geïmplanteerde 'behandelde' eicellen het redt tot een volledig volgroeid individu, en dat er onder de resterende vijfennegentig procent nogal wat misvormde dieren zijn. Deze getallen naar mensen geëxtrapoleerd maakt het klonen van mensen een risicovolle onderneming. Ook kleven er ernstige ethische bezwaren aan het klonen van mensen. Men zet namelijk de biologische manier van voortplanting volledig op zijn kop. Ook blijft de vraag wat u aan een gekloond kind hebt als u onsterfelijkheid nastreeft. Op zijn best is klonen een merkwaardige en omslachtige manier van het verwekken van een jonger, identiek tweelingbroertje of -zusje, en het is zeker geen recept voor het ontduiken van Magere Hein. Een tweelingbroer of -zuster is namelijk nog altijd een unieke, volledig op zichzelf staande persoonlijkheid en niet een tweede of verlengde ik. Klonen als middel tot het overstijgen van de dood zal u dus van weinig nut zijn. Klonen is in dit opzicht van dezelfde orde als het op normale wijze produceren van nakomelingschap. Maar wat dacht u van exploitatie van gekloond nakomelingschap, namelijk het klonen van een (ziek) mens met het doel een kopie te verkrijgen waaruit een levensreddend orgaan kan worden gedoneerd aan het zieke origineel. Ethisch balanceren we hier op de rand van de afgrond als het om nieren gaat en bungelen we boven de afgrond als het om organen gaat waarvan u en ik er maar één hebben. Er is een lichtpuntje en dat is het 'therapeutisch klonen'. Het doel van deze techniek is om reservecellen van een individu te verkrijgen die de eigenschappen hebben van universele stamcellen én die erfelijk geheel identiek zijn aan de lichaamscellen van de donor. Uit deze cellen zouden bijvoorbeeld nieuwe hartspiercellen kunnen worden gekweekt om oude of beschadigde hartspiercellen mee te vervangen, of nieuwe hersencellen. Mogelijkheden te over. Pas als dit mogelijk is, gaat de deur naar onsterfelijkheid een kiertje open. Langer leven of onsterfelijk zijn is misschien voor eventjes leuk, maar daarmee weten we nog steeds niet wat ons wacht als we dood zijn.

Woordenlijst

Onderstaand vindt u de verklaring van een aantal termen die u vaak tegenkomt in beschrijvingen die verband houden met overlijden en dood:

adipocire: slecht afbreekbare, wasachtige substantie gevormd uit lichaamsvet

aeroob: stofwisseling met zuurstof

anaeroob: stofwisseling zonder zuurstof

autolyse: zelfdestructie van cellen en weefsels

columbarium: plaats waar men urnen met as van overledenen bewaart

coma: aanhoudende, diepe bewusteloosheid

cryonics: overledenen bewaren bij zeer lage temperatuur

cryoprotectie: bescherming van cellen en weefsels tegen ijskristalvorming

EEG: elektro-encefalogram, registratie van de elektrische activiteit van de hersenen

exhumatie: opgraven van iemand die eerder begraven is

flyctenen: lijkblaren

forensisch anatoom: anatoom in dienst van het ministerie van Justitie, gerechtsanatoom

forensisch odontoloog: gerechtstandarts

forensisch patholoog-anatoom: patholoog-anatoom (ziektekundige) in dienst van het ministerie van Justitie, gerechtspatholoog

hiberneren: overwinteren

kannibalisme: eten van mensenvlees

lysosoom: celorgaan dat afbrekende enzymen bevat

miasma: de uitwaseming van bedorven lucht en stank door een lijk

mortuarium: bewaarplaats voor stoffelijk overschotten

necrofagie: zich voeden met het vlees van lijken

obductie: lijkschouwing door een patholoog-anatoom

post mortem: na het overlijden

reïncarnatie: wedergeboorte

rigor mortis: lijkstijfheid

sectie: lijkschouwing door een patholoog-anatoom

taphefobie: angst om levend begraven te worden

thanatologie: leer van het balsemen

thanatopraxis: balsemen van overledenen voorafgaand aan begrafenis of crematie

Bronnen van informatie

Boeken en tijdschriften

Von During, M., Poggesi, M., Huberman, G.D.
Encyclopedia Anatomica: A Complete Collection of Anatomical Waxes
Uitgever: Taschen America 1999 ISBN 3-8228-7613-5

Von Hagen, G. (1987) *Impregnation of Soft Biological Specimens with Thermosetting Resins and Elastomers*
Tijdschrift: *Anatomy and Embryology* (1987) 175: 411-421

Von Hagen, G. (1990) *Cross-sectional Anatomy of the Human Brain. A photographic atlas of plastinated series of body slice.*
Uitgever: Steinkopff, Darmstadt (Duitsland) ISBN 3-7985-0780-5

Nuland, S.B. (1994) *Hoe wij doodgaan. Bespiegeling over het einde van het leven.*
Uitgever: Uitgeverij Anthos, Baarn ISBN 90 6074 827 1

Opdebeeck, A. (2001) *Bijna-doodervaringen en de gevolgen voor de betrokkenen en de samenleving op micro en macro psychosociaal vlak.*
Proefschrift Criminologische Wetenschappen, K.U. Leuven, België

Opdebeeck, A. (2001) *Bijna dood. Leven met bijna-doodervaringen*
Uitgever: Uitgeverij Lannoo, Tielt (België) ISBN 90 209 4409 6

Blanke, O., Ortigue, S., Landis, T., Seeck, M. (2002) *Stimulating illusory own-body perception.*
Tijdschrift: *Nature*, 419, 269 – 270.

Mims, C. (1998) *When we die*
Uitgever: Robinson Publishing Company, London (Engeland) ISBN 1-85487-529-9

Waugh, E. (1948) *The Loved One*
Uitgever: Back Bay Books, USA ISBN 03-16926086

Websites

Anatomisch dreamtime:
www.nlm.nih.gov/exhibition/dreamanatomy/index.html

Anatomisch instituut:
www.med.vu.nl/~anatomie

Anatomische modellen:
www.somso.de

Anatomische wassen preparaten:
www.specola.unifi.it/cere/default-e.htm
www.univie.ac.at/medizingeschichte/medhistmusewachspraepeeng-lish.htm
www.ucm.es/info/museoana/historia/indexeenglish.htm

Begrafenis:
www.de-begrafenis.nl/begrafenis.htm
www.uitvaart.nl/

Coma: www.neurochirurgie-zwolle.nl/coma.html

Crematie:
www.internationale-krematorien.de/Nederlands/Wateiseeenecrema-tiee/wateiseeenecrematiee.html

Doodgewoon:
www.dood.nl/

Invriezen:
www.cryonics.org/
www.alcor.org/

Klonen van mensen:
www.humancloning.org

MRI hersenen:
www.med.harvard.edu/AANLIB/home.html

Orgaandonatie:
www.wordorgaandonor.nl/
www.transplant.org/
www.nierstichting.nl/main.html

Plastinatie:
www.bodyworlds.com/en/plastination.html

Sterven:
http://sterven.pagina.nl/

Vampiers:
www.vampiers.startbewijs.nl/

Veenlijken:
www.archeologie.kennisnet.nl/ijzer/detailtekst/veenlijken.html

Visible human:
www.nlm.nih.gov/research/visible/visibleehuman.html

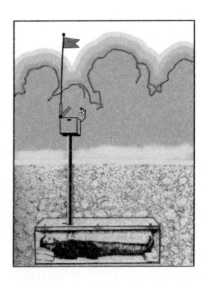

Bewegingsdetector voor levend-begravenen uitgevonden door graaf Karnice-Karnicki
Zie 3.5 Levend begraven